Capela Sistina

A Guardiã dos Segredos de Michelangelo

Rosa Maria Bastos

Capela Sistina

A Guardiã dos Segredos
de Michelangelo

Conforme Novo Acordo Ortográfico

MADRAS

© 2009, Madras Editora Ltda.

Editor:
Wagner Veneziani Costa

Produção e Capa:
Equipe Técnica Madras

Ilustrações Internas:
Cedidas por Michael Olteano, do site
www.christusrex.org

Revisão:
Arlete Genari
Neuza Rosa
Bárbara Eliza A. Martins

Dados Internacionais de Catalogação na Publicação (CIP)
(Câmara Brasileira do Livro, SP, Brasil)

Bastos, Rosa Maria
Capela Sistina: a guardiã dos segredos de
Michelangelo/Rosa Maria Bastos. – São Paulo: Madras, 2009.

Bibliografia.
ISBN 978-85-370-0486-9
1. Arte e ciência 2. Cabala 3. Cappella Sistina
(Cidade do Vaticano) 4. Michelangelo Buonarroti,
1475-1564 5. Misticismo judaico 6. Ocultismo
I. Título. II. Título: A guardiã dos segredos de Michelangelo.

09-04250   CDD-135.4

Índices para catálogo sistemático:
1. Michelangelo: Cabala no teto da Capela Sistina: Ocultismo 135.4

Todos os direitos desta edição reservados pela

MADRAS EDITORA LTDA.
Rua Paulo Gonçalves, 88 — Santana
CEP: 02403-020 — São Paulo/SP
Caixa Postal: 12183 — CEP: 02013-970
Tel.: (11) 2281-5555 — Fax: (11) 2959-3090
www.madras.com.br

Índice

Apresentação

O mosaico

Ao entrar na Basílica de São Pedro, a visão das lindas imagens nas paredes da cúpula principal saltou aos meus olhos maravilhados. Inicialmente, achei que eram pinturas. Só depois de um olhar minucioso, pude reparar que se tratavam de mosaicos.

Horas mais tarde, subi até a cúpula da Basílica, por uma escadaria sem-fim. Na metade do caminho, saí por uma porta lateral e deparei-me com uma espécie de patamar no interior da cúpula. Eu estava agora no mesmo nível dos belos mosaicos que avistara lá de baixo.

Naquela posição, era impossível enxergar a figura por completo. Restava-me apenas olhar os pedaços de cerâmica coloridos, justapostos um a um. Dali, bem de pertinho, a noção do todo desaparecia, e os fragmentos aparentavam ter disposição fortuita.

Não pude deixar de associar esse episódio de minha passagem por Roma com a própria condição humana. Assim somos nós: pedacinhos de cerâmica inscritos no mundo de maneira aleatória. À nossa mente não cabe entender a composição por completo. Somente o Criador do mosaico saberia exatamente a função de cada um dos pedaços, que teve o trabalho de assentar da melhor maneira, conferindo beleza, qualidade, sentido, harmonia e razão à sua obra.

Apenas quando nos distanciamos de nossas pequenas colocações e partimos para uma visão mais ampla, conseguimos nos aproximar da mente do Criador.

Existimos, logo somos parte da Criação. E a existência do Criador depende de cada um dos pedacinhos de cerâmica que compõe a sua obra.

Este livro é resultado de anos de trabalho, nos quais me dediquei a um tema pelo qual sou verdadeiramente apaixonada. Porém, não há dúvida alguma de que esta obra não teria a mesma consistência ou rigor científico sem a colaboração de inúmeras pessoas que, pacientemente, compartilharam seus conhecimentos, em atos de generosidade ímpar.

Vejo esta obra como um grande e colorido mosaico, com o qual muita gente contribuiu com informações, evidências ou críticas que puderam tornar o todo um conjunto melhor e – já que estamos tratando de arte – mais belo também.

Eu não poderia deixar de agradecer à professora de História, Gilda Dieguez, por elucidar tanto sobre a situação do papado na época de Michelangelo.

Ao professor de Literatura, Dirceu Villa, que descortinou os meandros da cultura no Renascimento;

Ao fotógrafo e artista plástico André Douek, que há mais de 16 anos pesquisa a cultura judaica e dividiu conosco parte de seu vasto conhecimento;

A Reuven Faingold, Ph.D. em cultura judaica, por ter nos acrescentado inúmeras informações ricas sobre o universo dos cristãos-novos;

A Jairo Friedlien, da Sefer, livraria e editora especializada em Judaísmo, que nos abriu tantos horizontes, orientando sobre quais caminhos seguir;

A Robert Bonfil, por ter nos mostrado de forma tão pontual o papel e as condições de vida dos judeus no Renascimento italiano;

Ao professor do Departamento de História da Universidade de São Paulo (USP), Modesto Florenzano, que se dispôs a conversar conosco no período em que estávamos ainda engatinhando nesta pesquisa;

A Tereza Aline Pereira de Queiroz, também do Departamento de História da USP, por seus questionamentos tão relevantes, que aguçaram minha curiosidade até o ponto de resolver iniciar minha própria pesquisa pessoal e, posteriormente, escrever este livro.

Quero agradecer imensamente a Beatriz Marques Dias e Mônica Canejo, ambas jornalistas, por transformarem meus textos e pesquisas em um trabalho didático e de possível apreciação por todas as pessoas.

Não menos importante para a concretização desta obra foi Eduardo Roberto Pestana, a quem devo o visual ilustrativo e a diagramação criativa.

Existem também as pessoas que não sabem que me ajudaram: Dr. Sidney T. Castro L. Manoel, Dr. Gilson Barreto, José Arnaldo de Castro, Maria Angélica Camilo Okitoi e Elvira Rossini Vieira, da revista *Estilo Fashion*, e Eduardo Kickhofel.

Quero ainda dedicar este trabalho aos meus pais, Francisco e Maria Luíza (*in memoriam*); às minhas filhas Ludmila e Tarsila, e ao meu marido Marum. Estas pessoas fazem meu mundo pessoal valer a pena.

Agradecimento especial ao senhor Michael Olteanu, que gentilmente cedeu as imagens de seu *site* w.w.w.christusrex.org, sem as quais nosso trabalho perderia em qualidade e entendimento.

Introdução

stive no interior da Capela Sistina em julho de 2001. Fascinada com a magnitude dos afrescos de Michelangelo e, ante a dificuldade de conseguir observar os detalhes de todas as cenas, confesso que tive o ímpeto de me deitar no chão para poder apreciar, por alguns instantes que fosse, a obra monumental que estava acima de minha cabeça. Ideia impossível de realizar, a não ser que fingisse um mal súbito. O local estava repleto de turistas de todas as partes do mundo.

Decidi agir normalmente e desfrutar do passeio da maneira que me cabia naquele momento, ou seja, como uma turista também. Mesmo assim, ao observar a Cena da Criação de Adão, sentia que havia nela algo de familiar. Não por a ter visto centenas de vezes em livros e revistas, nada disso. O que me atraía e intrigava irresistivelmente era a composição do desenho, a maneira como Michelangelo representou Deus, com todos aqueles anjos ao seu redor... aquilo me fazia lembrar algo. Porém, o quê?

Passados três anos, encontrei na seção de lançamentos de uma livraria *A Arte Secreta de Michelangelo – Uma lição de Anatomia na Capela Sistina* (1), obra do médico Gilson Barreto e de Marcelo G. de Oliveira.

Gilson Barreto associou as figuras da Capela Sistina a estruturas anatômicas, e é este o tema de seu livro. Ao folheá-lo, as imagens vinham à minha mente. Não tive dúvidas de que ele havia descoberto boa parte daquilo que meus olhos não conseguiram enxergar à época, apesar de achar tudo tão familiar. Como ele, tenho boa noção de anatomia porque sou dentista... ou, como prefiro me denominar, uma artesã da boca.

Devorei a obra de Barreto e Oliveira. Ao avançarem em suas observações, os autores iam mostrando que não só as imagens principais traziam peças anatômicas ocultas. Também os elementos ao redor de cada uma delas, tais como querubins, *putti* (anjos) e *ignudi* (nus), re-metiam a partes do corpo humano.

O próprio Gilson Barreto escreve: "talvez jamais saibamos o que o levou a representar de forma camuflada as peças anatômicas de ór-gãos internos do corpo humano em suas por si só já impressionantes pinturas e esculturas. No entanto, uma vez feita essa surpreendente descoberta, é inevitável querer saber mais sobre o artista e a época em que ele viveu". (2)

Ao fazer esta colocação, Gilson antevia os meus futuros passos e descrevia exatamente como me sentia. Eu queria saber mais, muito mais. E tinha as mesmas inquietações e dúvidas formuladas pela pro-fessora Thereza Aline de Queiroz, do Departamento de História da FFLCH da Universidade de São Paulo (USP), na contracapa de *A Arte Secreta de Michelangelo*. Ela escreveu: "No que pensava Michelan-gelo enquanto pintava a Capela Sistina? Que temas ocultos guiavam a elaboração de seu projeto? Qual seria a trama mental urdida por de-trás do visível? Que obsessões e conhecimentos eram materializados no delineamento das formas?" (3)

Aquilo tudo aguçava a minha mente. Mergulhei sobre o tema e comecei a estudar a obra do fenomenal artista. À medida que avança-va, ia tendo uma série de *insights*. Baseada em meus próprios pontos de vista e em estudos que fiz ao longo do tempo, penso ter respondido a algumas dessas perguntas-chave. Foi assim que as peças do mo-saico desta intrincada história foram se reunindo, dando forma a um conhecimento que Michelangelo ocultou. Não por toda a eternidade, mas até que a humanidade estivesse apta a quebrar seus preconceitos, paradigmas arcaicos e dogmas religiosos, para com isso mudar seu campo de visão do mundo e da vida em si mesma. Afinal, o artista, em sua genialidade, já havia feito isso há muito tempo. Estamos falando da Cabala.

Nos complexos afrescos minuciosamente elaborados, julgo en-xergar mais do que os críticos de arte citam. Ali, camufladas, estão referências inegáveis desta ciência dita oculta, tradição milenar da cultura judaica. A Árvore da Vida, os quatro mundos da emanação, as *Sephiroth*, o alfabeto hebraico... a própria escolha das personagens retratadas já indica que há mais a se buscar que o efeito estético. Ob-servando com atenção as figuras, é possível encontrar elementos sim-bólicos que não deixam dúvidas sobre os conhecimentos do artista sobre a Cabala.

Mas, é obvio, ele não o fez de forma completa, provavelmente em virtude do momento histórico conturbado pelo qual passava. E isto fica claro em seus poemas, cheios de melancolia, que mostram o Homem escravizado ao pensamento, crenças e hábitos de seu tempo. Um Homem que já tomou consciência de algo maior, mas que não encontrou ressonância em ninguém que estivesse ao seu lado. Michelangelo pode hoje, finalmente, ser compreendido e aceito muito mais que em sua época. E é isso que queremos demonstrar.

Devo acrescentar ainda que, ao contrário de transcrever uma biografia de Michelangelo – há várias delas em livros apropriados –, preferi dar ênfase a fatos pouco comentados que reforçam minhas hipóteses e que podem mudar a ideia que a maioria das pessoas tem dos artistas daquela época. Essas evidências foram encontradas de forma aleatória em vários relatos de autores diferentes e que só fazem sentido quando somados uns aos outros.

Nos tempos do mestre

uando Lourenço de Médici, governante de Florença, fundou a escola Jardim de San Marco, com a pretensão de ensinar escultura e ciências humanas, Michelangelo Buonarroti (1475-1564) tornou-se um dos primeiros alunos, com apenas 15 anos de idade. Esse grupo foi uma verdadeira fonte espiritual para o jovem artista. A ele deve seu conceito estético, que se apoia na adoração da beleza terrena como um reflexo da ideia divina e, do mesmo modo, à sua ética, baseada no reconhecimento da humanidade como o auge da Criação. O Jardim de San Marco também foi responsável por seu conceito de religiosidade, que considera o Paganismo e o Cristianismo como manifestações distintas da verdade universal.

Havia também a Academia Platônica fundada por Marsílio Ficino. Um dos principais companheiros de discussão e membro da Academia foi Giovani Pico della Mirandola, estudioso da Cabala e autor de *Oração sobre a dignidade do homem.*

Pico della Mirandola e seus seguidores trouxeram, perante a consciência cristã, um completo sistema de Teologia judaica, até então desconhecido. Esses estudiosos, enraizados nos ensinamentos de Pitágoras e Platão, acreditavam que os ensinamentos antigos só podiam ser entendidos por meio de uma leitura cristã da Cabala.

Portanto, sob a proteção de Lourenço, o Magnífico, as horas de trabalho e de estudos alternavam-se com as de conversação, entre literatos e poetas.

Havia, por todo lado, um movimento questionador sobre tudo o que existia. O enriquecimento dos comerciantes, o contato com outros povos e costumes, outras religiões, a troca de informações por meio das novas rotas de comércio, a descoberta de que o mundo era bem maior que se supunha, estava mexendo com a cabeça de muitos homens.

Para exemplificar, muitos dos pigmentos usados na pintura vinham de lugares distantes. O lápis-lazúli, por exemplo, vinha do Afeganistão...

A própria perda de prestígio do Cristianismo romano, devido ao comportamento do clero muito mais voltado às coisas mundanas que a Deus, favorecia e estimulava esse intercâmbio, tanto comercial quanto cultural, quando buscava outros povos, lugares e formas de continuar sendo dominadora e dona da verdade absoluta.

Dentre as personalidades históricas que influenciavam Michelangelo, nessa época, podemos destacar também o frei dominicano Girolamo Savonarola, que fazia sermões em Florença. Esse frei pedia aos florentinos que abandonassem a luxúria e a vaidade, jogando fora livros de grandes escritores da época, ou coisas terríveis começariam a acontecer. Savonarola era contrário até mesmo às artes e pedia ao povo para se voltar apenas para Deus. (4) Michelangelo respeitava e apreciava muito os sermões do frade, que citavam textos do Apocalipse. Ele dizia profetizar por meio da inspiração de anjos, porém, o papa Alexandre VI não gostou nada disso, pois somente os papas poderiam profetizar por intermédio do Espírito Santo.

Ser papa naquela época não significava possuir dotes morais elevados. Os papas tinham filhos que, para a sociedade, eram apresentados como sobrinhos e atingiam sempre altos postos dentro do Catolicismo após seus "tios" serem nomeados papas. A escolha dos papas era feita da maneira menos correta possível, à custa de subornos, envenenamentos, ameaças, exílios de inimigos e tantos outros fatos, que aqueles que acompanhavam de perto a história, dificilmente acreditariam que um papa poderia ser o representante oficial dos apóstolos na Terra. Michelangelo, em seu íntimo, não aprovava esses acontecimentos.

Em uma leitura atenta das poesias de Michelangelo, são muitos os indícios de que ele aceita trabalhar para a Igreja Católica muito mais por dinheiro que por devoção ao papa ou à instituição. Em um dos trechos, escrito no fim de sua vida, o artista afirma: "esta arte hosanada, da qual por algum tempo tive tanto favor, traz-me isso: pobre, velho e à força servo de outrem. Estou arrasado se não morro logo!" (5)

Michelangelo tinha motivos de sobra para se mostrar perplexo e frustrado com as hipocrisias da Igreja e do papa. Savonarola, que pregava a retidão e pureza aos homens, acabou torturado e queimado na fogueira em 1498, enquanto o papa e seu séquito permaneciam na luxúria e boa vida. O fato é que se vivia em uma época na qual filósofos e humanistas muitas vezes tinham de se retratar para não serem eliminados. Michelangelo conhecia essa realidade bem de perto. Um de seus irmãos, Lionardo, que pertencia à ordem dominicana, não chegou a esse ponto, mas acabou excomungado.

Após a morte de Lourenço de Médici, em 1492, sobe ao poder em Florença seu filho mais velho, Piero, que não tinha muito apreço por Michelangelo. Esse fato, somado à morte de Savonarola e à excomunhão de Lionardo, foi determinante para o artista decidir partir para Bologna, onde ficaria por três anos. A partir desses acontecimentos, a obra de Michelangelo começa a refletir certa melancolia.

Impressionado com a *Pietà* de Michelangelo, em que a expressão de dor de Maria é imortalizada junto ao corpo do filho morto, o papa Júlio II encomenda a Michelangelo seu túmulo, em 1505.

Com ambição desmedida, visualiza para si próprio uma obra monumental, concebida para ser o mais magnífico dos monumentos fúnebres já construídos, superando os mausoléus de antigos imperadores romanos, como os de Adriano e Augusto, que tinham a proporção de verdadeiros castelos. (6)

A fim de dar conta da tarefa, Michelangelo partiu para Carrara, a pouco mais de 100 quilômetros de Florença, em busca das melhores peças de mármore que seriam usadas para esculpir as 40 estátuas, as quais se instalariam em uma construção de aproximadamente 10 metros de largura e 15 metros de altura, com seus pilares, arcos e nichos. A retirada e o transporte das pedras consumiram oito meses de trabalho. Porém, antes mesmo que o mármore chegasse a Roma, o papa já estava com sua atenção voltada para um novo projeto não menos grandioso: a reconstrução da Basílica de São Pedro.

Lamentavelmente, o prédio que dava lugar à mais antiga e sagrada igreja da cristandade exibia paredes com dois metros fora do prumo, por causa da construção original em um terreno pantanoso e fundações inadequadas. Em um gesto intempestivo, enquanto Michelangelo voltava de Carrara, Júlio II decidiu demolir todo o conjunto e construir em seu lugar uma nova basílica.

O problema é que Michelangelo havia se endividado, pagando 140 ducados para trazer o mármore até Roma, quantia que só poderia ser levantada mediante um empréstimo bancário. Aflito, marcou uma audiência com o papa que, temperamental, se negou a recebê-lo. Em 1506, muito ofendido, Michelangelo deixou Roma prometendo não mais voltar (ler o início do capítulo "A tese"). Conforme documentos da época, Michelangelo "vendeu tudo o que havia em seu ateliê aos judeus", provavelmente para pagar suas dívidas, "e se foi". Explica-se: os judeus detinham o poder do comércio de compra e venda de utensílios usados em Roma.

Já em Florença, eram banqueiros e comerciantes. Inclusive a família Médici, cujos membros eram os patronos da cidade, tinha estreita relação com alguns negociantes judeus.

Famosos por terem sido os grandes incentivadores da arte renascentista na Itália, atuando como mecenas de artistas que acabaram por se tornar imortais na história da humanidade, os Médici estavam mesmo interessados em manter o poder em Florença. Durante cerca de três séculos, assumiram, perderam e reassumiram o controle várias vezes. Depois de Cosimo, foi seu filho Pedro quem chegou ao poder e, em seguida, seu filho Lourenço, conhecido como o Magnífico. Lourenço, que também era escritor, foi um dos maiores incentivadores da cultura e das artes durante seu governo. Não só vivia cercado em sua corte por escritores e artistas, como financiava obras, bibliotecas e expedições em busca de textos antigos.

Mas, em suas querelas políticas, nem sempre estava de bem com a Igreja. E isso inclui a relação com os banqueiros católicos – aliás, os próprios Médici eram também banqueiros. Daí que para os Médici era muito conveniente a presença dos judeus em Florença, que ofereciam uma alternativa econômica, trazendo capital, comércio e, também, bancos. Esse foi o mote para que judeus tenham sido não só bem-aceitos como incentivados durante os tempos em que os Médici mantiveram poder em Florença.

Quanto às suas próprias raízes, Michelangelo era descendente dos condes de Canossa, uma família nobre de Régio, conhecida tanto por seus méritos e antiguidade como por suas conexões com o sangue imperial. (7)

Porém, o clã Buonarroti, ao qual Michelangelo pertencia, vivia em condições modestas. O bisavô de Michelangelo havia sido um banqueiro de sucesso, reunindo fortuna considerável que, no entanto, foi dilapidada na geração seguinte, por seu avô. (8)

Em 1507, Júlio II, muito criativo, passou a vender pedacinhos do Céu, ou como conhecemos, as indulgências, e todos os fundos arrecadados foram destinados à construção da Basílica de São Pedro.* Nessa época, mais que líderes religiosos, os papas eram líderes políticos

---

*N.E.: Sugerimos a leitura de *Os Crimes dos Papas – Mistérios e Iniquidades da Corte de Roma*, de Maurice Lachatre, Madras Editora.

(e econômicos), tendo a supremacia e os privilégios de um verdadeiro monarca. Júlio II, nascido Giuliano della Rovere, era conhecido como o Papa Guerreiro, por sua ambição política e militar. Seus êxitos o tornaram um dos homens mais influentes e poderosos de seu tempo. Praticamente, passou todo seu papado, iniciado em 1503, entre guerras contra venezianos, milaneses, bolonheses e, principalmente, contra os franceses. Desejava reconquistar os Estados Papais – grandes extensões de terra, incluindo cidades inteiras – para assim recuperar os cofres da Igreja.

Quanto ao temperamento, Sua Santidade era uma figura difícil, temida por todos os que viviam ao seu redor. Júlio II era conhecido por seus ataques de fúria, ocasiões em que inclusive agredia fisicamente seus servidores. Ele não tinha medida e não enxergava nada nem ninguém, além de sua própria razão. Uma de suas grandes tarefas foi o projeto de devolver à Roma sua grandeza, já que na época a cidade estava em ruínas. Também se dedicou com enorme afinco para recuperar a imagem do papado, seriamente desgastada após o Grande Cisma, de 1378 a 1417, quando dois papas coexistiram, reinando um em Roma, outro em Avignon, na França.

Com o projeto do mausoléu deixado de lado, o papa acalentava planos de convocar Michelangelo para pintar o teto da Capela Sistina. Dois meses depois da fuga do artista, enviou para Florença, cidade onde vivia a família de Michelangelo, um comunicado dando garantia de que ele não seria maltratado ou ferido em sua volta a Roma. Depois de três recusas de retornar à cidade, Michelangelo finalmente cede aos apelos do soberano. O artista estava longe de ser um homem rico. Precisava sobreviver e ajudar sua família, por isso não teve escolha. Como Michelangelo deu mostras de que não iria aceitar pintar o teto da Capela Sistina, a primeira encomenda de Sua Santidade foi uma escultura em bronze dele próprio, de quatro metros de altura, para ser erguida em frente ao Pórtico da Igreja de São Petrônio, que serviria para proclamar ao povo de Bolonha a sua soberania sobre a cidade.

Mesmo não sendo a escultura em bronze a expertise de Michelangelo, cuja grande habilidade era esculpir com cinzel e martelo, Júlio II ordenou que o artista realizasse a obra. Quando a escultura de 4,5 toneladas finalmente ficou pronta, Michelangelo supôs que finalmente seria convocado para retomar o projeto do mausoléu. Em vão. Diferente disso, foi contratado para realizar a pintura do teto da Capela Sistina, o que aceitou com grande relutância.

A Capela Sistina, construída por encomenda do papa Sisto IV (1471-1484), tio de Júlio II, foi projetada, em 1477, pelo arquiteto Florentino Baccio Pontelli e erguida nos limites do Palácio do Vaticano. Apresentava proporções exatamente iguais às medidas mencionadas na *Bíblia* como sendo as do Templo de Salomão, em Jerusalém: tinha 40 metros de comprimento por 13 metros de largura e 20 metros de altura. A capela era um espaço de oração onde se realizavam missas a cada duas ou três semanas, reunindo o papa e mais 200 funcionários eclesiásticos e seculares, como cardeais, bispos, príncipes e membros do Vaticano. Mas, sem dúvida, a Capela tinha, e tem até hoje, outra função de importância vital: era lá que os cardeais se reuniam para realizar o conclave que definia a escolha de um novo papa.

Como parte da remodelação de Roma, a restauração da Capela Sistina, assim como a pintura da abóbada, exercia papel importante nos planos de Sua Santidade. A capela sofria dos mesmos problemas da Basílica de São Pedro, causados pelo afundamento do solo. Com isso, as paredes começavam a se inclinar, provocando rachaduras no teto. Portanto, a capela já estava pronta, e Michelangelo precisava executar a decoração do teto, conforme fora solicitado pelo papa Júlio II.

Além dos quatro grandes campos em forma de vela de barco, chamados de pendentes, localizados nos cantos da capela, na junção com as paredes, havia, ainda, oito espaços triangulares menores, os tímpanos, que se projetavam a partir das janelas. Restavam, ainda, as áreas mais altas das quatro paredes, conhecidas como lunetas (ou luazinhas) sobre as janelas.

A pessoa que influenciaria Michelangelo a retornar para Roma, após o primeiro desentendimento com o papa, teria sido o cardeal Francesco Alidosi que era um estudioso de ocultismo. O cardeal de Pavia fez o intercâmbio entre Michelangelo e o papa Júlio II, que o considerava um de seus melhores amigos. Foi o próprio Alidosi que redigiu o contrato de trabalho para a pintura do teto, bem como se envolveu no projeto da obra.

Normalmente, os artistas seguiam um projeto apresentado por quem encomendava a obra, sendo determinadas todas as cenas e até mesmo a sequência exata da obra.

Corria o ano de 1508 quando o papa Júlio II apresentou um projeto detalhado a Michelangelo. Para os 1.100 metros quadrados do teto da Capela Sistina, solicitava que os 12 apóstolos fossem pintados acima das janelas, com quadrados e círculos decorando o restante da área. Michelangelo fez uma série de esboços para a proposta do papa, porém nenhum deles o satisfez. Queixou-se ao papa de que o projeto era pobre e, para seu alívio, em uma completa exceção à época, recebeu do patrono carta branca para fazer o que bem entendesse. (9)

Essa liberdade de criação foi algo totalmente incomum, sobretudo, por se tratar do destino da principal capela da cristandade. Não existe nenhum relato de qualquer interferência dos teólogos e conselheiros papais. A depender dos estudos de Michelangelo no Jardim de San Marco, pode-se acreditar o quanto ele estava preparado para desenvolver o projeto. Havia estudado não somente escultura, mas também matemática, Teologia e gramática, com acadêmicos brilhantes da época. Entre eles estavam Marsílio Ficino, líder da Academia Platônica.

Nascido em 1433 no vilarejo de Figline Valdano, nas proximidades de Florença, Marsílio Ficino gostava de dizer que era um homem de sorte: nascera em um século de grandes transformações na história da humanidade, que ele chamava de "tempo de ouro". Também teve a sorte de ser filho do médico particular de Cosimo, o Velho, um dos grandes patriarcas da família Médici.

Os Médici deram a Marsílio Ficino carta branca para se dedicar ao estudo dos clássicos gregos, tendo ele se empenhado na tradução de vários textos. Até que, com a intenção de intensificar discussões filosóficas, fundou a Academia Platônica, seguindo o que era um importante movimento cultural da época, o Neoplatonismo. O Neoplatonismo viria a ser algo muito sério para a Itália do século XIV ao XVI. E devemos, igualmente, entender que, a despeito do conhecimento imenso que muitos tinham dessas matérias naquela época, interpretaram-nas bastante a seu modo, sedimentando sua cultura. Assim, filósofos, escritores, artistas – ou pensadores, para simplificar – reuniam-se para filosofar.

O nome da Academia Platônica não deixa dúvidas sobre os pendores desses homens. Estavam focados no classicismo grego. Mas o espírito renascentista era afeito a buscar liberdade. Por que se ateriam aos gregos? Nada disso. Esses filósofos poderiam ser chamados hoje de "multiculturais", já que estavam interessados em discutir livremente sobre vários temas, de acordo com as mais diversas vertentes, escapando ao jugo imposto pelo Cristianismo. Como bem afinava com o espírito renascentista, determinado a recriar a sociedade por meio do pensamento, foram em busca de textos em árabe, como o Zoroastrismo, além do livro de Orfeu, e até traduziram uma obra atribuída ao deus egípcio da palavra, o *Corpus Hermeticus*, de Hermes Trismegisto.

Na Renascença, forma-se, portanto, um conjunto de conhecimentos que une o Platonismo e suas diversas camadas de interpretação aplicadas durante séculos. Os textos clássicos greco-latinos, hebraicos e por vezes muçulmanos, que vieram da queda de Constantinopla, eram lidos com outros, de religiosidade e moral quase pagãs. Esses intelectuais não estavam presos aos conceitos de ciência e de racionalidade. Muitas das orientações seguidas por esses pensadores, aliás, incluem correntes que hoje consideramos como místicas ou mágicas. Estamos falando de um período, por exemplo, no qual a Astrologia não era separada da Astronomia e não havia separação entre Ciência Exata e Ciência Oculta – o que só foi acontecer muito mais tarde. Mesmo que muitas vezes dentro dos limites do diletantismo, não importa, era uma forma mais abrangente e generosa de vida mental, que se combinava mais facilmente com a vida quotidiana, por assim dizer. E aqui nos reencontramos com os judeus: neste balaio cultural, a raiz judaica, tão presente em toda a Europa, não poderia ser deixada de lado. Daí que a Cabala, a Astrologia, o Zoroastrismo eram considerados estudos tão lícitos quanto Anatomia, Física e Biologia. E foi justamente a Cabala, com sua verve mística, que muito interessou aos Acadêmicos.

Entre eles, o jovem Giovanni Pico della Mirandola (1463-1494) destacava-se. (10) Com 14 anos, estudou Direito Canônico em Bolonha; aos 16, conhece um de seus mais importantes profesores, Elia Del Medigo, um judeu e Averroísta Aristotélico.

Com apenas 18 anos, já dominava 22 idiomas e era admirado por sua cultura vasta e variada. Aos 21 anos, correspondia-se com Ângelo Poliziano e Lorenzo de Médici sobre poesias.

Considerado o mais famoso neoplatônico, depois de Marsílio Ficino, Mirandola concebeu *De Dignitate Hominis* (Oração sobre a dignidade do Homem), um texto que expressa seu ecletismo e se baseia no Platonismo e na Cabala. Não há dúvidas de que era um grande conhecedor da cultura judaica. Veja o que Jacob Burckhardt, autor de *A Cultura do Renascimento na Itália*, escreve sobre ele: "Pico della Mirandola, por exemplo, dispunha de todo o saber talmúdico e filosófico de um instruído rabino". (11) Por isso tudo, pode inclusive ser considerado criador do Cabalismo Cristão, que se servia dos princípios do sistema judaico sobre um fundo filosófico cristão.

Além de Burckhardt, outros estudiosos como Frances Yates e Walter Pater também são unânimes em afirmar que della Mirandola queria unir os conhecimentos egípcio, grego, hebraico e árabe ao

Cristianismo. Yates lamenta que, após a queda de Granada, esse projeto renascentista de conciliação deu lugar à brutalidade que exigia uma Europa *toute catholique*. Burckhardt escreve: "Nele (Pico), pode-se perceber o rumo sublime que a filosofia italiana teria tomado se a Contra-Reforma não tivesse destruído a totalidade da vida espiritual mais elevada". (12)

Pico morreu jovem, e a característica marcante de seu pensamento, que foi enfaticamente esotérica, pode justificar por que houve, até bem pouco tempo, curto espaço para a divulgação de sua obra. Em seus trabalhos ele desejava, dentre tantas coisas, alcançar a felicidade humana por meio da harmonia filosófica entre os platonistas e os aristotélicos, esforçando-se para uni-los em uma única escola. Seus estudos englobam ainda comentários gregos, a cultura da Idade Média, o Paganismo, o Cristianismo, o Islamismo e o Judaísmo.

A influência da obra de Pico della Mirandola nas escolhas feitas por Michelangelo, ao longo de sua carreira, possui inúmeras evidências. Uma delas é a obra intitulada *Heptaplus,* de 1489, um comentário cabalista sobre os primeiros 26 versículos do Gênesis, que o autor dedica a Lorenzo de Médici, na mesma época em que Michelangelo iniciava seus estudos sob a tutela de Lorenzo.

Outra evidência é que a Cabala que Pico conheceu por intermédio de Marsílio Ficino, Elijah Del Medigo, Flavius Mithridates e Yohanan Alemano, é uma teoria bem como uma prática de interpretação da *Bíblia* por meio das *Sephiroth* (veja no glossário a palavra Cabala), e das letras do alfabeto hebraico, que também representam números. Segundo essa teoria, as palavras possuem poderes, principalmente as que representam o nome de Deus. Outras palavras com grande poder são os nomes das *Sephiroth*, que não estão na *Bíblia* e simbolizam aspectos, manifestações e emanações da Divindade.

Foi esse estudo que o inspirou a conceber as 900 teses da Cabala sob uma visão cristã. A introdução dessas teses era feita pelo discurso "Oração para a dignidade do Homem", no qual ele alega que a Magia e a Cabala são as melhores provas da divindade do Cristo.

É necessário ainda ressaltar que Teologia, Espiritualidade, Filosofia, bem como Cosmologia, Antropologia e Angeologia são todos temas tratados nessas teses.

E, como se observará mais à frente, quando tratarmos da interpretação do teto da Capela Sistina, esses temas também estão retratados ao longo dos afrescos. Afinal, todos esses acontecimentos transcorriam na presença do jovem Michelangelo, influenciando sua formação. (13)

Outro grande pensador da época, Johannes Reuchlin, que foi morar em Florença, em 1490, elevou o nível da Cabala para Ciência Filosófica Platônica. Para ele, a convergência dos dogmas cabalísticos e cristãos era uma garantia da verdade de ambos. Sua influência entre os judeus foi enorme, provocando várias conversões. Isso provocou reações em parte da comunidade judaica, que alertou para os erros cometidos nas interpretações de Reuchlin. Os cristãos, porém, que nada tinham a temer, devotaram muita atenção e estudo ao que Reuchlin havia exposto.

Esse meio, em sua notável profusão intelectual, era frequentado por Michelangelo. Também apadrinhado de Lourenço de Médici – de quem conseguiu autorização para observar cadáveres, a fim de estudar Anatomia, algo até então controlado pela Igreja –, Michelangelo teve em Mirandola um mestre.

E se o mestre era um adepto confesso do Cabalismo, não seria de se estranhar que Michelangelo tenha com ele tomado contato com textos e estudos sobre o assunto, tornando-se, ele próprio, um seguidor.

A presença dos judeus em Florença era bem vista, aliás. E não só lá. Também em Ferrara, onde Matteo Maria Boiardo, que era de Reggio, mantinha ligações. Há indícios, inclusive, de que Boiardo tenha estudado com mestres judeus e é lícito dizer, observando sua obra, que ele soubesse pelo menos um pouco de hebraico. Seu avô Feltrino, por exemplo, chegou a viajar a Jerusalém. Ele também teve contato com os acadêmicos de Florença, principalmente com Mirandola, de quem era tio.

Importante é dizer que, mesmo a Academia Platônica de Florença tendo sido única, havia por toda a Itália, nesse período, interesses por culturas antigas, com abertura para uma intensa busca por conhecimento. Em todas as outras cidades-estados, como Veneza e a já citada Ferrara, existiam, da mesma forma, grupos de humanistas, artistas e pensadores, dedicados ao redescobrimento de textos clássicos.

Não por acaso, esse período antecede as grandes navegações e a descoberta do chamado Mundo Novo. Somente depois de passar por uma intensa abertura de pensamento, a Europa pode se arriscar a navegar outros mares.

Voltando à pintura do teto da Capela Sistina, para sua decoração, muito pouco foi aproveitado da ideia original do papa Júlio II. Michelangelo deu preferência a cenas e personagens do Velho Testamento. Acredita-se que essa escolha tenha sido influenciada pelos trabalhos dos artistas Jacopo della Quercia e Lorenzo Ghiberti, esculpidos em Bolonha e Florença, respectivamente, entre os anos de 1425 e 1438, os quais Michelangelo estudou durante o inverno de 1494. A influência de Jacopo, sobretudo no estilo de Michelangelo, foi imediata e profunda, tendo um importante papel na criação das imagens do teto da Capela Sistina. É importante destacar que, naquela época, a ideia de originalidade apenas estava começando a se delinear no cenário da luta competitiva entre os artistas. A ideia de "gênio original" começa, aliás, com o próprio Michelangelo, na Alta Renascença, porém só viria a se configurar completamente no século XVIII, na transição do patrocínio privado para o mercado livre e não protegido, quando os artistas se veem obrigados a travar uma luta pela existência material mais dura do que jamais fora até então. (14)

Assim, no teto, os sete profetas do Antigo Testamento vieram em substituição aos apóstolos, dividindo o espaço com cinco sibilas da mitologia pagã. O artista deu preferência também aos ancestrais de Jesus, retratados nos tímpanos e nas lunetas. É verdade que os antepassados de Cristo não consistiam em um tema tão comum na arte ocidental, se comparados a outros personagens da *Bíblia*. Nos pendentes, quatro outras cenas da história do povo de Israel, narradas no Antigo Testamento: "David e Golias", "Judite e Holofernes", "Suplício de Aman" e "Serpente de Bronze". Acima dessas figuras, na área central do teto, surgiriam nove episódios do Gênesis.

Obviamente, os ancestrais de Cristo são judeus que naquela época estavam sendo expulsos, humilhados e assassinados por toda a Europa. Os profetas e sibilas, símbolos da obra de Michelangelo no teto da Capela Sistina, profetizavam a vinda de Cristo, a chegada do Messias que viria nos salvar. Já os apóstolos, indicariam um Jesus Cristo que já teria vindo.

Mesmo pertencendo a uma família de rigores religiosos e morais que jamais lhe permitiriam qualquer sombra de questionamento ou dúvida a respeito do Cristianismo Romano, Michelangelo vivia um conflito terrível, que o tornou um homem infeliz, amargurado, recluso e bastante reservado. Assistir e suportar os desmandos e atos questionáveis do papa marcou-o profundamente, como mostram seus poemas.

Acrescente-se a isso seu amor à criação de Deus, à perfeição do corpo humano e a sua opção por jamais se entregar ao amor carnal. A castidade entre alguns dos artistas da época era habitual. A condição era assumida, muitas vezes, como uma forma de se dedicar o máximo da energia à criatividade artística. Michelangelo acreditava que a experiência dos sentidos era um obstáculo que deveria ser superado. Quanto mais intensa fosse a negação dos prazeres carnais, mais se elevava o espírito. É bem provável que somente nas artes e nos conhecimentos adquiridos no Jardim de San Marco, Michelangelo encontrasse alguma paz para seu espírito. Michelangelo descobriu seu caminho na arte, como ele próprio descreve: "A boa pintura aproxima-se de Deus e une-se a Ele... não é mais que uma cópia de suas perfeições, uma sombra de seu pincel, de sua música, de sua melodia. Por isso, não basta que o pintor seja um grande e hábil mestre de seu ofício. Penso ser mais importante a pureza e a santidade de sua vida, tanto quanto possível, a fim de que o Espírito Santo guie seus pensamentos..." (15)

É interessante notar que, se o conceito de gênio era algo ainda subjetivo na Renascença, a autonomia da arte se expressa de forma objetiva, do ponto de vista da obra. Conforme Arnold Hauser, a autonomia da arte significa para a Renascença meramente a independência da Igreja e da metafísica proposta por ela; não subentende, entretanto, uma autonomia absoluta e universal. A arte emancipa-se dos dogmas eclesiásticos, mas permanece estreitamente ligada à filosofia científica da época. O artista escapa à influência do clero, mas entra em relações ainda mais íntimas com os humanistas e seus seguidores. Porém, é fato que a arte está longe de se tornar uma serva da ciência no sentido em que era serva da Teologia, da Idade Média. (16)

Quanto à castidade, Leonardo da Vinci tinha conduta similar à de Michelangelo; foi também reconhecidamente casto durante sua vida. Contudo, os dois gênios da época apresentavam características de personalidade tão distintas que não puderam se aproximar como amigos. Michelangelo, como já dissemos, era introspectivo, pouco vaidoso, sovina, acreditava-se um bom escultor. Conhecia o amor sublime, aquele que não necessita do contato físico, pois pertence àquele que o sente. O amor platônico, para alguns.

Leonardo, por sua vez, era comunicativo, extrovertido, confiante de si, sátiro talvez. Em Florença, Milão, Roma, ou Amboise, onde quer que estivesse, ele tinha o hábito de reunir uma pequena multidão em praça pública para expor suas ideias de engenheiro, pintor, escultor, músico ou poeta. Folgazão, sabia prender seu público com anedotas e fábulas espirituosas que inventava, e com as músicas que tirava com grande perfeição de sua lira. – "Quem não ama a vida não a merece" – dizia ele.

Tamanho desprendimento por pouco não lhe custou a vida. Em Florença, Leonardo foi considerado um herege e teve de se retratar para não ser queimado na fogueira. Já Michelangelo era temente a Deus, um gênio da arte. Foi reconhecido em sua época, porém não ousou enfrentar a sociedade, morrendo frustrado sem se reconhecer.

No Jardim de San Marco, bem como por toda a Itália, procuravam-se informações nas áreas da Filosofia, do conhecimento de outras religiões, que talvez destoassem do Cristianismo, como o Hinduísmo, o Budismo e o Judaísmo. Acrescente-se a tudo isto, um retorno à valorização da cultura grega, politeísta. Até o século IV havia um sincretismo de deuses gregos, romanos e egípcios. Essas filosofias antigas apresentavam em seu panteão de deuses, figuras masculinas e femininas. Tanto Michelangelo como Leonardo tinham pleno conhecimento dessas filosofias, que chamaremos de pagãs. Sabiam que elas faziam sentido se fossem apresentadas de forma lógica, e não por meio de dogmas da fé.

Após a última das restaurações da Capela Sistina, em 1980, quando se usou da alta tecnologia para remover séculos de sujeira e resgatar os tons originais de Michelangelo, revelaram-se aos olhos, cores intensas, muito semelhantes às usadas no Budismo e no Hinduísmo, o que sugere que o artista, como sabemos, buscou inspiração em temas mais distantes que os clássicos gregos.

Em uma das mais maravilhosas esculturas de Michelangelo, *Escravo Rebelde*, a imagem tem suas mãos atadas, o que simboliza a luta áspera e sem esperança da alma humana contra as prisões do corpo. Para Michelangelo, bem que poderia simbolizar a luta sem esperança para libertar suas ideias, em suas obras. Michelangelo sentia uma revolta muito grande, camuflada por seu temperamento. O que ele poderia fazer se necessitava do trabalho para sobreviver e manter sua família, quando seus maiores clientes eram aqueles que lhe oprimiam as ideias?

Quanto à relação de Júlio II com Michelangelo, Sigmund Freud comenta o seguinte: "Julio II tinha afinidades com Michelangelo, no que se referia a haver tentado realizar objetivos grandes e formidáveis e, especialmente, projetos em grande escala. Era um homem de ação e tinha um propósito definido, o de unir a Itália sob a supremacia papal. Desejou realizar sozinho o que deveria levar ainda vários séculos para ser concretizado e, mesmo então, somente por meio da conjunção de forças estranhas: trabalhou só, com impaciência, no curto período de soberania que lhe foi concedido e utilizou meios violentos. Podia apreciar Michelangelo como um homem de sua própria espécie, mas muitas vezes o fez sofrer com sua ira repentina e sua completa falta de consideração pelos outros. O artista sentia em si próprio a mesma violenta força de vontade e, como pensador mais introspectivo, pode ter tido uma premonição do fracasso a que ambos se achavam condenados".

Para Michelangelo, a questão era: como manter vivo seus ideais, aquilo em que acreditava, e ainda assim não se sentir um mártir? Uma possível resposta: codificando suas crenças por meio de seus trabalhos, para que somente aqueles que também partilhassem de suas convicções pudessem as reconhecer. Em um raro instante de euforia, entre tantos momentos de dissabores, Michelangelo escreve: "Eu me aprecio bem mais que costumo/contigo no coração, valho mais que eu mesmo,/como pedra depois que talhada,/vale mais que pedra bruta./ Ou como folha de papel, escrita ou pintada,/e mais apreciada que um pano qualquer/assim me tornei desde que alvo me fiz/marcado por tua face, e não me queixo./Seguro com tal marca, vou a qualquer lugar,/ como que se carrega armas ou sortilégios,/que todo perigo afugenta/ protegido contra água e contra fogo,/com teu emblema, ilumino qualquer cego e com minha saliva curo todo veneno". (17)

Portanto, não foi apenas a perfeição ou grandiosidade das obras de Michelangelo que o imortalizaram, mas foi a utilização de ícones ou arquétipos universais, comuns a tantas civilizações, que proporcionou a identificação com suas obras ao longo do tempo, por várias gerações.

Os judeus no Renascimento

ue os judeus foram importantes na época e na terra de Michelangelo é inegável. Fossem comerciantes, banqueiros ou até professores, estavam espalhados em diferentes setores da sociedade, trazendo seus hábitos e suas ciências – como a Cabala. Mas, antes desse período, os judeus já trilhavam um caminho longo pela Europa. Durante a Idade Média, na Península Ibérica especialmente, sua presença foi longa, constante e marcante. Pode-se dizer que a Espanha viveu uma época de três religiões, em que conviviam com tolerância cristãos, muçulmanos e judeus.

A força cultural dessas três vertentes religiosas, sem que uma realmente sobressaísse sobre a outra, permitiu um enorme desenvolvimento no campo intelectual. A grande contribuição que perdurou pelos séculos seguintes foi justamente a tradução dos textos gregos. Judeus e árabes tornaram-se grandes tradutores de Aristóteles e Platão, desvendando, enfim, para as línguas europeias o conteúdo desses pensadores. Isso é bastante significativo, uma vez que essas traduções, que possibilitaram a redescoberta da Filosofia Clássica, lançaram as bases para a própria Renascença. Ou seja, sem a contribuição preciosa desses tradutores, o Renascimento só teria ocorrido muito mais tarde.

Na Idade Média, quando os judeus começaram a ser expulsos pelos cristãos, principalmente da Espanha, espalharam-se por outros países. Muitos deles se fixaram na Itália. Lembramos, aliás, que em diversas cidades da Itália a presença dos judeus era não só tolerada como incentivada, mesmo em plena época da Santa Inquisição (1231-1821). Em Ancona, por exemplo, os judeus representavam uma alternativa ao comércio já estabelecido com o Oriente, abrindo concorrência direta com Veneza, ou seja, mais uma vez, o interesse era mais econômico que religioso.

Como um sinal de tolerância, o papado permitia que os judeus fizessem empréstimo com juros. Também sob o ponto de vista sociopolítico, eles eram interessantes à Igreja, pois pagavam impostos e estavam sempre dispostos a cooperar com o que fosse.

A explicação era a de que esses judeus estariam ajudando aos pobres, ao emprestar dinheiro com taxas não tão altas em comparação com as usadas por alguns cristãos residentes. Na sociedade da época, alguns eram contra, outros a favor da permissão dada aos judeus de exercerem a usura. Entre os que eram contra, obviamente existiam aqueles que queriam emprestar aos pobres com juros mais altos que os cobrados pelos judeus.

Em suma, é legítimo concluir que o mais forte argumento para a aceitação dos judeus na Itália era o fato de as autoridades nunca estarem interessadas em tratar do problema da pobreza em um nível administrativo. Portanto, eles poderiam permitir a presença dos judeus para que estes financiassem os pobres. Sendo assim, os pobres e os judeus eram necessários e serviam às autoridades da época. Os primeiros porque, ao receberem as esmolas dadas pelos ricos, serviam para aliviá-los de seus pecados, garantindo a eles um lugar ao Céu. Já os judeus, por sua vez, eram úteis para os governantes italianos porque o ódio dos pobres era canalizado para eles. Assim funcionava a economia "espiritual" da época. (18)

Esses mesmos judeus que exerciam poder comercial também patrocinavam as artes, sendo corresponsáveis pelo florescimento cultural na Itália Renascentista. Em vários lugares onde se estabeleceram, foi comum o desenvolvimento de núcleos culturais, graças justamente a seu apreço pelos estudos, o que os destaca como um povo letrado e "culto". Donos de tipografias, tradutores e primeiros a imprimir a *Bíblia*, os judeus levavam em suas bagagens o gosto pelas letras e ajudavam o florescimento de novos interesses. A primeira tipografia de Ferrara, por exemplo, era de um judeu fugitivo da Espanha.

Árabes, egípcios, persas, entre outros, também disputavam com os judeus esse espaço privilegiado, em que voltar os olhos para o passado era uma forma de produzir o futuro. Não por acaso, o movimento se chamou Renascimento.

Obviamente que um movimento sociocultural com a significância da Renascença só aconteceu por uma conjunção de diferentes fatores, a começar pela peste. A doença, que matou uma enorme parcela da população, deixou que os sobreviventes acumulassem bens de forma nunca antes vista. De repente, alguns senhores se tornaram herdeiros de fortunas. Esse capital, que estava em poucas mãos, permitiu que se investisse em outras coisas além das terras e do comércio. Artes, por exemplo! A incrível fortuna que alguns mecenas possuíam foi, em parte, transformada em investimentos como núcleos de estudo, tradução de textos, pinturas monumentais e esculturas preciosas. Mas claro que é preciso considerar também que os humanistas e artistas se encontravam nessa época predispostos a buscar o Classicismo.

O problema começa quando se esbarra na religião. Por estarem em uma região de predominância cristã, eram submetidos à conversão. No entanto, essa conversão era forçada e só existia burocraticamente, já que, na prática, continuavam com suas crenças e costumes judaicos. É o que se chama de Marranismo (19), uma duplicidade na vida cotidiana que afetou judeus em várias partes do mundo e em diferentes épocas. Enquanto professavam a fé cristã publicamente, mantinham em suas vidas privadas o apego às tradições judaicas. Uma das mais significativas eram os ritos da *Pessah*, a Páscoa. Símbolo da ressurreição de Jesus para os cristãos, a Páscoa é uma das datas mais importantes da tradição judaica e refere-se à libertação desse povo do regime de escravidão que levavam no Antigo Egito. Para celebrar, fabricavam o pão ázimo (sem fermento). Também podiam manter o hábito de acender velas na noite do *Shabbat* (sexta-feira) e de conservar certos costumes funerários, de impor o uso de nomes judeus e de não abrir mão da circuncisão. Aliás, aqui vale abrir parênteses: a circuncisão (ver Glossário) é um dos ritos mais simbólicos do Judaísmo. No livro do Gênesis, 17, 9:10, diz Deus a Abraão: "Guardarás minha aliança, tu e a tua descendência no decurso de suas gerações. Esta é a minha aliança, que guardareis entre mim, vós e a tua descendência: todo macho entre vós será circuncidado". Até hoje os judeus preservam essa prática como sinal de sua aliança com Deus, a tal ponto que ela promove a identidade cultural. Pode, na verdade, ser considerada uma maneira de se identificar um judeu.

Para a Igreja, a conversão obrigatória passou a ser um dilema. Foi um longo processo entre considerá-la, ou não, válida, e a solução acabou ficando um tanto nebulosa. Quando a Santa Inquisição começou, os judeus tornaram-se alvos fáceis. Não que houvesse algo de errado no Judaísmo, afinal a Inquisição era um julgamento exclusivo para os cristãos. O problema era terem se convertido, mas não terem assumido a prática cristã, mantendo-se fiéis aos ritos judaicos. Para muitos desses cristãos-novos, também era comum aceitar o sincretismo, misturando as duas religiões. Por exemplo: o cristão-novo poderia ir à missa aos domingos, frequentar festas da comunidade cristã e participar de vigílias de oração... mas, em casa, devia manter seu cardápio rigidamente dentro das limitações impostas pelo Judaísmo. Mais ou menos como nós, brasileiros, costumamos fazer nos dias de hoje. Afinal, é comum para um brasileiro que ele se case na Igreja Católica, que vá, de vez em quando, procurar um pai-de-santo umbandista para fazer um "descarrego" e, um dia, converta-se para uma Congregação Evangélica. Nada demais em um país com tamanha diversidade cultural. Mas, para a Santa Madre Igreja, misturar as coisas era um ato de heresia! Era preciso optar entre ser judeu ou cristão. Aceitar o batismo e não levá-lo a sério era um pecado que os condenava à fogueira. Se isso acontecesse, seus bens eram confiscados – reparem só, de novo, no interesse da Igreja! Só escapavam os que conseguiam fugir a tempo e, por outro lado, eles também não podiam contar com o respaldo das autoridades judaicas.

Segundo o Rabino Yehoshua Soncino, que viveu no século XVIII, se estavam em território cristão, tinham de se submeter às leis do lugar. Se aceitavam essas leis, deveriam estar cientes de que a qualquer momento poderiam ser considerados hereges. Logo, era de sua inteira responsabilidade sofrer qualquer tipo de perseguição ou condenação. Yehoshua disse, em 1731, a respeito de uma excomunhão: "neste caso, se for considerado que são mesmo culpados, não seremos obrigados a ter o luto para eles nem os vingar". Resumindo, os cristãos-novos estavam totalmente desprotegidos.

Por outro lado, deve-se lembrar que os judeus convertidos, desde que aceitassem totalmente o Cristianismo, podiam até mesmo fazer parte do clero. Apenas em caso de serem denunciados e levados a julgamento, precisavam provar que tinham de fato se convertido – os inquisidores investigavam as casas, questionavam sobre trabalhar aos sábados e até o que comiam, para ver se tinham abandonado o Judaísmo.

A facilidade em se perseguir os judeus, segundo o historiador italiano Robert Bonfil, autor de *Jewish life in Renaissance Italy* (A vida dos judeus na Renascença Italiana), *University of California Press*, estudioso do período, é sua evidente falta de força política. Eles tinham capital, adaptavam-se a vários ambientes, relacionavam-se facilmente e eram ótimos comerciantes. Mas, sem terra, ficavam destituídos de um elemento que os fortalecia politicamente.

Falando-se especificamente dos judeus da Itália renascentista, poderíamos declarar que havia uma relação de compartilhamento de aprendizado na cultura judaico-cristã em um nível pessoal, sendo que, para os judeus, houve a importação de conteúdos que se tornaram expressões integrais da identidade judaica, favorecendo a perda de sua identidade ao longo do tempo. Isso pode ser mostrado no curso de poucas gerações, quando os judeus abandonam o hebreu como linguagem de comunicação do grupo e produção cultural. Por outro lado, como forma antagônica a este fato, foi seu fechamento em guetos. Ênfase deve ser dada ao fato de visualizarmos o povo judeu não somente do ponto de vista religioso, mas sim como cidadãos daquele tempo, que sofriam as mesmas influências e participavam das mesmas descobertas de seus vizinhos cristãos.

Quanto à mudança de nomes, funcionava como uma prova de aceitação religiosa para os convertidos, que faziam a troca na hora do batismo ou como camuflagem, feita pelos que estavam fugindo da Inquisição. Nos dois casos, a situação é complexa e incerta.

E por que, afinal, estamos falando tanto sobre a história dos judeus? Ora, porque somente por meio deles é que Michelangelo pôde conhecer a Cabala. "O movimento renascentista, com seu culto da antiguidade, determinou o sucesso da Cabala. A aceitação dos mais antigos textos, das mais diferentes tradições – hermética, zoroástrica, pitagórica –, e seu uso em um contexto sincretista, típico de certos anos de transição, tudo isso fazia possível o uso da Cabala." (Robert Bonfil).

Não fosse toda essa história de perseguição e fidelidade às próprias raízes, nosso artista não teria entrado em contato com esta que é uma das mais tradicionais formas de esoterismo da humanidade. Especialmente se considerarmos a presença de judeus que partiam da Espanha para fugir da Inquisição, pois foi justamente nesse país que se iniciou um dos momentos mais significativos da história da Cabala. Foi a publicação, no fim do século XIII, do *Zohar* – O Livro do Esplendor, considerado como a mais importante obra do misticismo judaico. Supostamente de autoria de Moisés de Leon, o *Zohar* é ainda hoje determinante no estudo da Cabala na Espanha. Em seu conteúdo, constam teorias que versam sobre a Criação do Universo e o entendimento de seus mais instigantes mistérios. Expulsos em 1492, os judeus migraram carregando em sua bagagem esses ensinamentos e a predisposição ao surgimento de novas teorias. Soma-se a isto a busca pela explicação do sofrimento do povo judeu ao longo de milênios, que fez surgir uma nova fase na história da Cabala.

Apresentada como uma interpretação original permeada de ideias neoplatônicas, ela afetou todo o campo da atividade intelectual e da prática religiosa diária. Seu sucesso parece advir, entre outras coisas, em sua natureza ambivalente, por um lado antropocêntrica, e por outro, teocêntrica. Houve a introdução de seus temas nos sermões dos rabinos e a reforma do ritual religioso e de orações.

A tese

Dia 17 de abril de 1506, véspera do lançamento da pedra fundamental da Nova Basílica. Michelangelo, um homem revoltado e desgostoso, vendia seus instrumentos de trabalho, jurando a si mesmo que nunca mais poria os pés em Roma.

– Senhor Michelangelo – dizia, com voz humilde e baixa, um judeu de meia-idade –, o seu talento é incomparável. Suas obras se tornarão famosas em todo o mundo. Pense melhor, talvez o senhor se arrependa, e o papa nunca o perdoará.

– Tenho lá minhas razões, e o papa, se quiser, saberá onde me encontrar. Aqui não fico mais.

– O senhor tem sido gentil para com o meu povo. Não nos trata como inferiores e agora nos vende seus instrumentos de trabalho. Como podemos lhe agradecer?

– Não há necessidade disso. Os judeus têm sua história e nela nada encontro que justifique o que ocorre nos dias de hoje. Esta perseguição é injusta.

– Senhor, encontro em sua pessoa todas as qualidades de um grande homem. Não sei como interpretaria se lhe contasse um segredo... a confissão que farei pode mudar o rumo deste pontificado e, muito provavelmente, também dos próximos. Mas, sem dúvida, o senhor saberá fazer bom uso desta informação.

– O que pode o senhor saber que já não seja público?' – indagou o artista.

O judeu lançou-lhe um olhar inquietante e falou:

– A história de uma ascedência...

Michelangelo parou por um instante, passando a prestar mais atenção àquela conversa casual. O infeliz judeu não poderia estar falando da linhagem familiar de Michelangelo que, apesar de conturbada, não tinha a menor relação com a dos papas. De que estava *falando, então, aquele homem? Será que o sofrimento teria tirado dele a lucidez?*

— Meu senhor, talvez o clima de nossa cidade lhe tenha feito mal – Michelangelo queria continuar, mas o judeu interrompeu-o prontamente.

— Sei muito bem de que falo, e apesar de minha aparência, minha mente permanece em bom estado... pode parecer loucura que um homem como eu tenha um segredo de grande monta, porém há muito procuro alguém com quem o compartilhar e, acredite ou não, sei que o senhor é a pessoa indicada. Se eu estiver enganado quanto ao uso que dará a esta informação, de todo modo, bem sei que não fará dela algo contra meu povo.

— Então, fale... não sei em que poderei lhe ajudar, mas quanto a prejudicá-lo, dou-lhe minha palavra de que não ocorrerá.

— Pois bem, senhor, tudo começou há tempos, com a ambição de um homem que queria ser papa. Seu sobrenome era Rovere, mas ele não era um nobre. Isso o fez roubar o brasão de uma outra família, de mesmo sobrenome: esta sim, de "sangue azul", da cidade de Turim. A palavra Rovere, como bem sabe, significa "carvalho", e o brasão daquela família representava esta árvore com galhos entrelaçados dos quais brotavam 12 bolotas douradas... precisamente, esse homem ambicioso se tornou o papa Sisto IV.

— Ora! Todos sabem que a escolha dos papas não é nada balizada em qualidades espirituais – interropeu Michelangelo, mas logo o judeu prosseguiu.

— Sim, senhor Michelangelo, mas o que o papa Sisto IV talvez não soubesse, é que essa família de "sangue azul" de Turim nada mais era que uma família judia, que trocara de nome para fugir da perseguição. A tão estimada árvore, estampada no brasão, era uma representação camuflada da Árvore da Vida, a mais importante representação da Cabala Judaica.

Michelangelo, que estava em pé nos degraus de entrada de seu ateliê, sentou-se ali mesmo e passou a fitar aquele homem nos olhos, incrédulo sobre o que acabara de ouvir.

O diálogo anterior nunca aconteceu, é apenas fruto do meu lado imaginativo. Mas algumas dessas hipóteses são inegáveis. O papa Sisto IV, de fato, apoderou-se do brasão de uma família homônima de sangue azul, de Turim. Isso se deu porque, naquela época, para ser papa era condição fundamental pertencer a uma família nobre. Na verdade, o pai de Sisto IV era camponês, e seu irmão, pai do futuro papa Júlio II, era pescador.

Curioso é que o nome Rovere (carvalho em italiano) bem poderia ser um nome de judeus convertidos ao Catolicismo (também chamados cristãos-novos) ou até fugitivos, já que era habitual que eles escolhessem nomes ligados à natureza, como Oliveira, Pinheiro ou Coelho. Outra hipótese seria o sobrenome Rovere ser de procedência celta, povo que tinha o carvalho como um símbolo sagrado.

Porém, incrível mesmo é que o brasão dos Rovere traga a figura de um carvalho com galhos entrelaçados, com 12 bolotas douradas, o que claramente é uma representação da Árvore da Vida da Cabala, com suas dez esferas principais e uma não-*Sephira*. Para completar doze, teremos uma comparação com a preexistência de Deus antes da criação do mundo, denominada AIN, que se localiza acima da primeira *Sephira*, Kether. Esta associação fica evidente também para alguns dos estudiosos de Michelangelo, como Frederick Hartt, professor da Universidade de Virgínia, nos Estados Unidos (20). Esse fato nos leva à seguinte questão: Por que o papa Sisto IV teria um símbolo judaico no brasão de sua família? Seria Sisto IV um judeu convertido? No caso de se pensar que ele inocentemente se apoderou do brasão, poderia dizer que ele conhecia Cabala e inclusive estudou os nomes Divinos atribuídos às dez *Sephiroth* em 1484 (21).

Quando se faz uma comparação visual entre o brasão dos Rovere e as muitas formas de se representar a Árvore da Vida, a dúvida multiplica-se em escala geométrica e a nossa imaginação se abre em um leque de opções. Portanto, ele sendo um conhecedor do assunto, não teria percebido a semelhança na disposição das folhas e bolotas da árvore do brasão e a Árvore da Vida, ou mesmo com a *Menorah*, que é outra forma de se camuflar este diagrama?

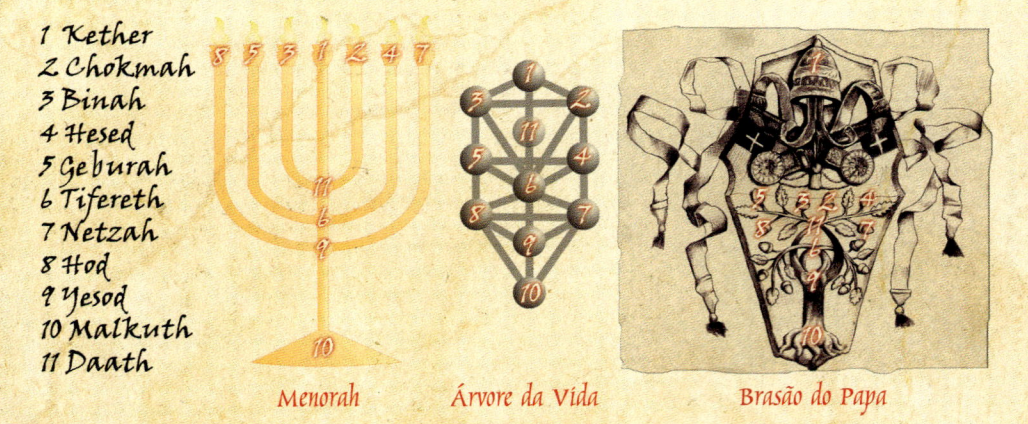

1 Kether
2 Chokmah
3 Binah
4 Hesed
5 Geburah
6 Tifereth
7 Netzah
8 Hod
9 Yesod
10 Malkuth
11 Daath

Menorah   Árvore da Vida   Brasão do Papa

A *Menorah* é um candelabro sagrado e um dos maiores símbolos do Judaísmo. Feito por Moisés, é constituído de sete braços e serve para ser colocado dentro do Santo Lugar – átrio intermediário entre o Átrio Exterior do Santuário e o Santo dos Santos – juntamente com o Altar de Incenso e a Mesa dos Pães da Proposição. Foi levado de Jerusalém pelos romanos quando houve a invasão da cidade e a destruição do templo.

Existe também a *Chanukiá*, um candelabro de nove braços, que foi criado a fim de ser um símbolo da Festa de Chanucá, ou Festa das Luzes. Nessa celebração, os judeus comemoram a libertação do povo de Jerusalém do domínio dos gregos-sírios, sob a liderança de Judas Macabeu e do milagre do azeite que queimou no Templo por oito dias.

Sobre esses símbolos, podemos encontrar gravuras e fotografias das mais variadas formas, confeccionadas em diferentes períodos da História, sempre com uma função sagrada, o que permite sugerir que o brasão dos Rovere teria esse símbolo camuflado em sua imagem.

Outra evidência poderia ser o fato de a Capela Sistina ter sido projetada seguindo as proporções exatas dadas na *Bíblia* para o Templo de Salomão, em Jerusalém, o que também reforça a associação com a Cabala Judaica. O que teria inspirado Sisto IV para tal?

Mas essas suposições reforçam outra ideia: o uso que Michelangelo fez da Árvore da Vida em sua obra mais instigante, o teto da Capela Sistina. Saberia ele de algum segredo? Michelangelo passou grande parte de sua vida trabalhando para essa família, reformando tetos, pintando paredes, construindo estátuas e túmulos... mas, afinal, o que é esta tão citada Árvore?

Símbolo sagrado, presença constante nos textos místicos, expressão popular da relação homem-Deus, a Árvore da Vida é o símbolo maior da Cabala. Também é reconhecido como o diagrama que orienta o místico em sua caminhada, com a finalidade de elevar o Homem de sua condição atual até Deus. E é sua figura dividida em pilares e *Sephiroth* (plural de *Sephira*), emanações de luz ou esferas, que está camuflada entre as mais de 300 figuras humanas, como se fosse o esqueleto de toda a pintura no teto da Capela Sistina de Michelangelo.

Não tive acesso a nenhuma prova de que Michelangelo tenha entrado em contato com a Cabala enquanto estudou no Jardim de San Marco e na Escola Platônica. Porém, seria difícil não ficar a par do tema sendo aluno em uma escola em que o principal mestre era um dos mais eminentes estudiosos do assunto naquela época, Pico della Mirandola, conhecido por formatar o Cabalismo Cristão.

Ora, em todo o teto, é possível encontrar referências a diversos temas pagãos, como as caveiras de carneiros ou as sibilas greco-romanas, além da Astrologia... por que a Cabala, o lado místico do Judaísmo, tão em moda na época, ficaria de fora? E qual seria o motivo de ele colocar ao lado da figura de Jeremias um pergaminho no qual se pode ler a palavra "Aleph", que é a primeira letra do alfabeto hebraico?

A princípio, o papa Júlio II – sobrinho do papa Sisto IV e, portanto, também pertencente à família Rovere –, que encomendou a pintura, sugeriu que os espaços do teto, dividido em 12 partes, trouxessem os 12 apóstolos. Mas o artista preferiu, em vez disso, retratar sete profetas do Antigo Testamento, que se alternavam com cinco sibilas da mitologia pagã e também com cenas míticas, igualmente do Antigo Testamento. Porém, qual seria o motivo principal de o artista ter abandonado os apóstolos e os substituído pelas sibilas pagãs e pelos profetas?

Um fato que justificaria a inclusão dos profetas seria a celebração da natureza humana de Cristo. Enquanto os apóstolos atestariam que o Messias já veio, os profetas anunciariam sua vinda, como crê o Judaísmo. Eles também representam o mundo judeu, frente ao espírito antigo e lendário ao qual aludem as sibilas. E é o Antigo Testamento que conta a história do povo judeu.

Profetisas pagãs, as sibilas e seus livros proféticos receberam o aval do Cristianismo por terem anunciado a vinda de Cristo com seu nascimento imaculado e sua paixão.

Assim como o Antigo Testamento preparava os judeus para a chegada do Messias, as sibilas conscientizavam o mundo pagão. Ou seja, eram figuras que uniam o profano ao sagrado. E, ao reconciliar ensinamentos cristão ortodoxos com a cultura esotérica pagã, as sibilas estabeleceram uma ponte entre esses dois mundos, unindo o pagão ao cristão, o que encantava igualmente tanto artistas como eruditos. (22)

Aliás, praticamente toda Roma daquela época acreditava em oráculos. Existia um enorme fascínio em torno das profecias, dos sonhos, das adivinhações e, também, da Astrologia. Nesse aspecto, Michelangelo não era nada diferente do povo romano.

A crença em Astrologia era tal que até mesmo um de seus biógrafos mais importantes, o italiano Ascanio Condivi, que escreveu sobre o artista ainda quando ele era vivo, menciona que Michelangelo estava predestinado desde o nascimento por causa da configuração dos astros no céu naquele momento. Mercúrio e Vênus na segunda casa e a regência de Júpiter apontavam, segundo ele, características como grandeza e genialidade. Além disso, "teria sucesso em qualquer empreitada, mas principalmente nas artes que deleitam os sentidos, como pintura, escultura e arquitetura". (23)

Outra evidência é que Sisto IV pertencia à Ordem Franciscana Menor, uma das poucas que permitia a entrada de cristãos-novos em suas fileiras.

Passando para uma breve análise das decorações do teto, podemos observar que os medalhões, que acompanham os anjos, são em número de dez e foram pintados a seco e inspirados no Velho Testamento, contendo cenas de batalhas, episódios de justiça divina, e sempre relacionadas às vitórias do povo judeu sobre seus inimigos.

As cenas dos medalhões foram inspiradas por xilogravuras da edição de 1493 da *Bíblia vulgare istoriata*, traduzida para o italiano por Niccolo Malermi.

Cinco desses medalhões foram inspirados nas ilustrações do Livro de Macabeus, último dos 14 livros da *Bíblia* (*Vulgata*) conhecidos como apócrifos. Essas ilustrações contam as vitórias de uma família de judeus, cujo membro mais famoso foi Judas Macabeu, que reconsagrou o Templo de Jerusalém.

A impressão que se tem da pintura é que os medalhões estão suspensos em tecidos presos nas paredes laterais onde estão os anjos/*ignudi* sentados nas mais variadas posições, às vezes segurando mantos, em outras guirlandas e em outras grinaldas de folhas e bolotas de carvalho.

Os *ignudi* são em número de 20, ou dez pares, quando pensamos que sua função na cena esteja associada aos medalhões e não à cena principal. Se assim for, podemos fazer uma analogia com o texto hermético que diz: "tudo é duplo, tudo tem dois polos, tudo tem seu par de opostos, o semelhante e o dessemelhante são uma coisa só, os opostos são idênticos em natureza, mas diferentes em grau; os extremos se tocam; todas as verdades são meias verdades; todos os paradoxos podem ser reconciliados". (As Leis Herméticas)

Vale lembrar que a Árvore da Vida judaica apresenta dez esferas, como o teto apresenta dez medalhões e dez pares de *ignudi*.

Merece atenção ainda o fato de que o artista ilustrou os tímpanos e as lunetas com os ancestrais de Cristo, personagens relacionados nos versos de abertura do Novo Testamento, de Abraão até José. Naquela época, os antepassados de Cristo não consistiam em um tema tão comum na arte ocidental, se comparados a outros personagens da *Bíblia*.

Do mesmo modo, fica difícil entender o porquê de Michelangelo ter retratado os ancestrais de Cristo – no total, 91 figuras – como personagens humildes, enquanto outros artistas de sua época os representavam com coroas e cetros. Seria essa representação inspirada na situação em que se encontravam a maioria dos judeus, quando foi realizada a pintura do teto?

Também as mulheres são presenças a serem notadas no afresco do teto. Até então, na maioria das cenas pintadas sobre os antepassados de Jesus, o sexo feminino simplesmente não aparecia. Porém, Michelangelo incluiu 25 mulheres nas imagens mundanas referentes aos antepassados, formando núcleos familiares com pai, mãe e criança. São figuras que muito se assemelham a representações da Sagrada Família. No total, são 12 famílias. Seria uma referência às 12 tribos de Judá?

Porém, longe de transmitirem exemplos virtuosos da vida doméstica, os casais e crianças exprimem emoções como raiva, tédio e inércia, revelando um mundo duro e infeliz, bem diferente do que se espera encontrar em uma "Sagrada Família" (24).

Esses tímpanos eram decorados com falsos relevos, que por sua vez eram decorados com desenhos que se alternam entre uma concha e uma bolota.

Segundo alguns críticos, as conchas são uma referência a Nossa Senhora, a quem a Capela foi dedicada. A concha, como Nossa Senhora, abriga o que está em desenvolvimento. No caso da concha, a pérola, e o Messias (Jesus Cristo), no caso de Nossa Senhora.

A bolota, fruto do carvalho, seria uma homenagem à família Rovere, que construiu e, posteriormente, reformou a Capela.

Baseada em toda a sequência de raciocínios voltados para o misticismo simbólico, sabe-se que a concha é um símbolo do feminino, que abriga, que ampara; por outro lado, o fruto do carvalho seria um símbolo do masculino, principalmente se observarmos bem os afrescos de Michelangelo, onde há "cachos" de bolotas, veremos a proximidade da forma destes com o órgão sexual masculino.

Tendo em mente a imagem de Jonas no teto, mas também a camuflagem de um pênis na cena, e sabendo ainda da importância da circuncisão, podemos chegar a concluir que a simbologia da bolota e da concha permanece nos moldes do masculino e feminino, opostos complementares descritos ao longo de todo o texto deste livro.

Avançando mais um pouco, podemos chegar a observar que a forma dessas bolotas lembra muito mais um pênis circuncidado que o não circuncidado.

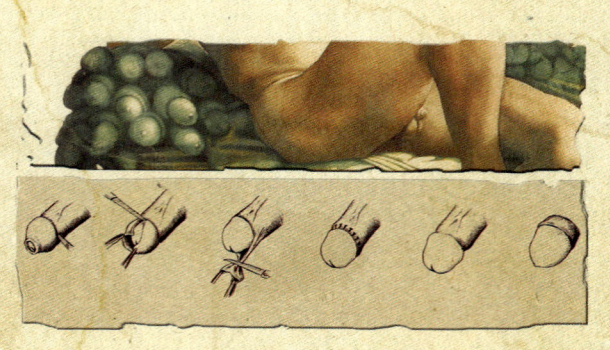

Para um homem como Michelangelo, que estudou Anatomia, Ciências e clássicos gregos e queria deixar um outro conhecimento camuflado em suas obras, existir duas ou mais interpretações para seu trabalho é algo bastante natural.

Michelangelo também paganizou os anjos da proposta inicial de Júlio II, transformando-os em jovens nus e atléticos, semelhantes aos escravos que ele esperara esculpir para o túmulo do papa.

Por sua vez, merecem ser observados os personagens que acompanham as sibilas e os profetas. São sempre dois, porém, nem por isso podemos os chamar de anjos. Em alguns a aparência é muito mais negativa, como se fosse uma má influência, o que corresponderia ao pensamento da Cabala que diz: "a partir dos 13 anos, tornam-se inerentes a cada pessoa duas inclinações, uma para o bem e outra para o mal. Conta-se que se sentam dois anjos nos nossos ombros e cada um de nós deve escolher, em cada momento, qual a tendência a seguir".

Dos lados das sibilas e dos profetas que estão sentadas em tronos de mármore, ficam duas colunas, cada qual apresentando um pequeno balaústre dourado inspirado em trabalhos de Donatello, que muito se assemelham às colunas dos templos maçônicos. Em cada coluna ainda há dois pares de anjos (*putti* cariatides, ou pequenos *ignudi*), que dão a ideia de um falso relevo e apresentam-se em uma posição espelhada. Cada par é formado por um menino e uma menina, reforçando que a profecia é direcionada para o conjunto da humanidade.

Abaixo de cada trono uma placa, suportada por outro anjo (*putti*), mostra o nome do profeta ou sibila.

Segundo a Astrologia e a Cabala, a Escada de Jacó representa o caminho de ligação entre o Céu e a Terra. É por meio dela que os anjos fazem a conexão entre esses planos.

É ainda sabido que esses anjos são em número de 72, e como os anjos de Michelangelo, nem sempre eles apresentam características boas como seria de se esperar.

Se somarmos os anjos que ficam ao fundo da cena, com os que seguram a placa de identificação, mais os que ficam nos pilares e os escravos, encontraremos esse número místico. O cálculo é feito da seguinte maneira:

1 – anjo que segura a placa com o nome do profeta ou sibila. Total de 12 (este anjo não aparece na imagem à direita);

2 e 3 – anjos que ficam ao fundo do afresco. Total de 24;

4 – escravo nu, ou *ignudi* de bronze representando os anjos caídos, localizado sobre os triângulos (tímpanos). Total de 12, pois estão espelhados (esse escravo não aparece na imagem da página anterior);

5 e 6 – *puttis* das colunas. Total de 24. Conta-se apenas dois, pois estão espelhados. Voltemos agora ao *Heptaplus* de Pico della Mirandola. Nessa obra há um trecho em que o autor sugere que teria sido o próprio Moisés o autor da história da Criação. Que Moisés teria atravessado direto os 49 portões do entendimento e chegado no quinquagésimo portão, onde ocorre a união mística com Deus. Esses 49 portões são compartimentos da Criação, demonstrados de forma alegórica. Pico acreditava que a sabedoria mais elevada não deveria ser apresentada em liguagem comum. E se utilizava de alegorias, para que somente a elite tivesse acesso àquilo que ele queria ocultar. Mantendo a Cabala de certa forma oculta, Pico acreditava que seu texto seria melhor aceito pelos cristãos.

Ao observarmos o esquema gráfico do teto da Capela Sistina, logo abaixo, podemos observar que Michelangelo dividiu o espaço em 49 segmentos diferentes que podem muito bem ser interpretados como os 49 portões descritos por Pico. (25)

Por fim, há ainda um detalhe que só o observador muito atento pode perceber: entre seus desenhos, estão camuflados os perfis de várias partes do corpo. Essa teoria é defendida na obra *A Arte Secreta de Michelangelo,* sugerindo que, entre mantos, livros e figuras humanas, pode-se "desvendar" figuras como a silhueta de um osso, a estrutura do ouvido, o interior de um órgão. (26)

Fiquei verdadeiramente intrigada com as razões que levaram Michelangelo a camuflar órgãos do corpo humano nas cenas da pintura. Os papas sabiam e até apoiavam os estudos anatômicos em cadáveres, desde que estes fossem sepultados posteriormente de maneira digna. Michelangelo fez muitos de seus estudos em mosteiros. Portanto, qual seria a real necessidade de esconder essas descobertas?

Nos afrescos, apenas determinadas partes da anatomia humana foram reproduzidas, e algumas mais de uma vez. Bem, se retornarmos aos ensinamentos da Cabala, vamos observar que essa filosofia estuda com muita atenção o Velho Testamento, faz associações das letras do alfabeto Hebraico com determinadas partes do corpo humano e se utiliza da Árvore da Vida para justificar a condição humana atual. Aqui começam as coincidências que, a meu ver, não as são. Ao longo das descrições dos afrescos lembrem-se da figura da página seguinte.

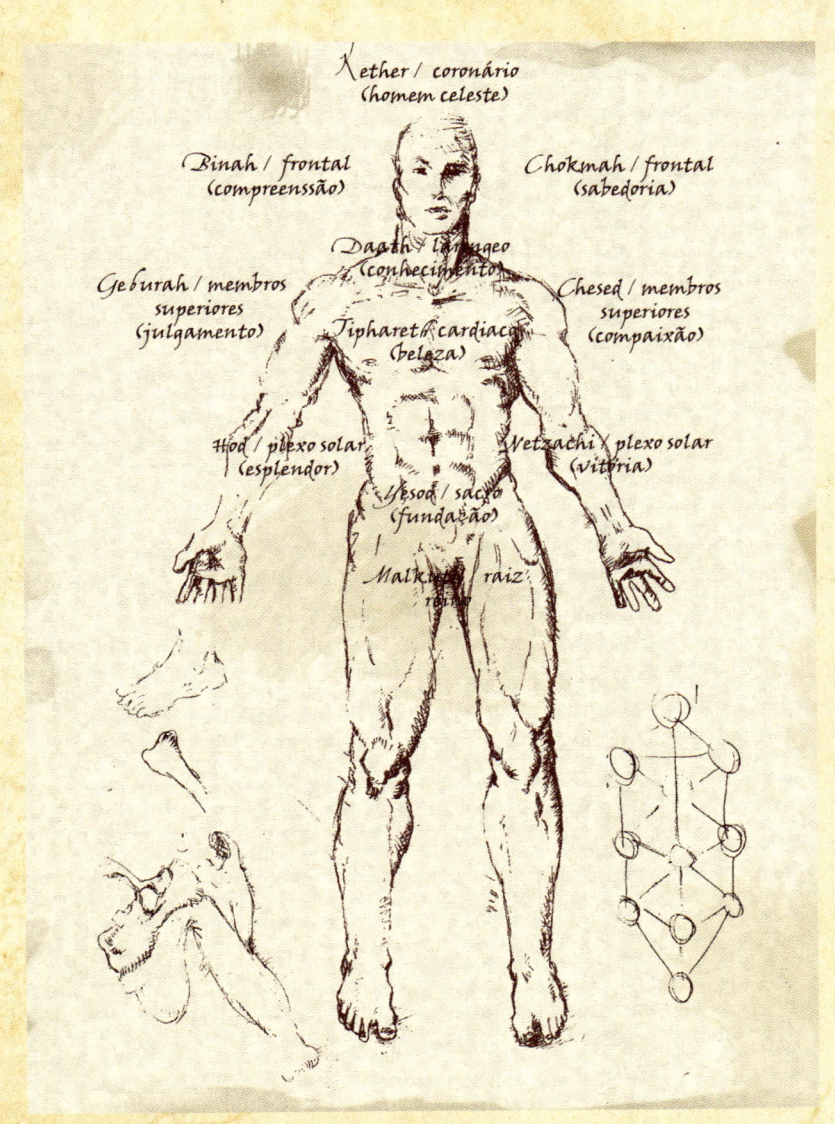

Nos afrescos que iremos mostrar a seguir, será fácil notar que os tons das roupas dos personagens muitas vezes correspondem às cores dos chacras em destaque. Mais uma vez: isso não seria um golpe do acaso!

Houve uma divisão entre sibilas e profetas, não sendo mostrado aqui que Michelangelo acreditava que homens têm mais poder de profetizar que mulheres. Este fato deveria ter escandalizado a Igreja, pois, por menos, Savonarola tinha ido para a fogueira.

Outro fato interessante é que, tendo em vista a área central dos afrescos, nas figuras maiores do teto, tudo que está à esquerda, quando se está de frente para o altar, está relacionado com as *Sephiroth* do lado esquerdo da Árvore da Vida e com o *Yin* da Filosofia Chinesa. Por conseguinte, tudo que fica à direita tem relação com as *Sephiroth* do lado direito da Árvore da Vida e com o *Yang* da Filosofia Chinesa. Isto salvo algumas exceções. Coincidência? Acredito que não. Dono de uma memória fotográfica incomparável, Michelangelo era capaz de compor peças novas sobre velhos temas, bastando para isto apenas os ver, como no caso dos *ignudi* (nus), figuras que ele conheceu em relevos helenísticos em Roma e em antigas gemas gravadas da coleção de Lourenço de Médici, o mais famoso dos mecenas de Florença, e depois reproduziu. "Michelangelo era um homem de uma memória tão retentiva e profunda que, vendo a obra doutros uma só vez, as recordava perfeitamente e podia utilizar-se delas de tal maneira que nunca ninguém se dava conta disso", diz Giorgio Vasari, amigo e admirador de Michelangelo, autor de *As Vidas dos Maiores Pintores, Escultores e Arquitetos*, publicado pela primeira vez em 1550. (27)

Onde chegamos agora? Voltamos à Árvore da Vida! É que a cada *Sephira* corresponde um número de um a dez e um atributo de Deus. E a cada letra do alfabeto hebraico distribuídas ao longo dos 22 caminhos entre as *Sephiroth*, corresponde um signo do zodíaco, um planeta, uma parte do corpo humano e um chacra. Quando observamos a distribuição das figuras ao longo do teto, a grande maioria delas apresenta similaridades com esses temas e estão nas posições em que se faz correspondência com eles. Mais uma vez, a meu ver, isso está longe de ser resultado do simples acaso.

Não seria difícil para Michelangelo reproduzir seus conhecimentos de Cabala sobre as figuras do teto da Capela Sistina. E por que o faria? Talvez apenas porque achasse o tema interessante, pois a Árvore da Vida é uma representação que explica o sentido da vida e a condição humana. Ou, ainda, por puro sarcasmo. Afinal, os representantes do Cristianismo romano, com seus mandos e desmandos, não estavam lá sendo alvo da admiração de ninguém, muito menos de Michelangelo, que observava os fatos de perto. Embutir uma homenagem à outra religião na encomenda de Júlio II poderia muito bem ser uma alfinetada dirigida ao papa, conhecido por seu temperamento inconstante e egocêntrico, com quem andava tendo lá seus entreveros. Possivelmente, o tesoureiro papal, Francesco Alidosi, o cardeal de Pavia, sabia de suas intenções. Alidosi, um estudioso de ocultismo, muitas vezes fez o intercâmbio entre Michelangelo e o papa Júlio II.

Por outro lado, a reprodução da Cabala nos afrescos do teto da Capela Sistina poderia ser a forma encontrada por Michelangelo para imortalizar seus conhecimentos sobre esse sistema filosófico. Imortalizar o gráfico da Árvore da Vida teria como motivação o fato de que a cultura judaica via-se ameaçada pela perseguição dos cristãos, ou também, por saber que os ensinamentos cabalísticos poderiam ser a chave da conversão dos judeus aos Cristianismo.

Ou, finalmente, poderia ser uma reverência aos seus mestres filosóficos, membros da Academia Platônica de Florença e entusiastas da Cabala.

Com base em todos esses acontecimentos também poderíamos nos perguntar o porquê do fato de Michelangelo ter sido o eleito pelo papa para pintar o teto da Capela Sistina, quando era público e notório que o artista seria inexperiente na técnica do afresco.

Ora, por que tanta insistência do papa, mesmo depois de Michelangelo ter se recusado a fazer o trabalho? Bem, isso faria todo sentido no caso de Michelangelo ter sido, assim como o papa, também um cristão-novo. Desta forma, o papa poderia compartilhar com Michelangelo do seu segredo – já que o artista também teria algo a esconder!

Mais uma vez, algumas evidências na biografia de Michelangelo podem respaldar esta minha tese. Uma delas é que Michelangelo dificilmente participava dos banhos públicos e, tampouco, tinha o hábito de se alimentar na frente de outras pessoas, ou participar de banquetes, hábitos na época muito comuns em pessoas que escondiam que professavam a fé judaica. O artista também não mantinha vida sexual ativa. Será que ele mesmo não era um judeu tentando guardar sua própria circuncisão do restante do mundo? Nossa, talvez minha mente esteja indo longe demais! Mas lembremos que sua família também mudou seu sobrenome de Canossa para Buonarotti.

Talvez esse detalhe não faça grande diferença, porém gostaria de citar um texto retirado do livro de Giorgio Vasari: "os judeus podem continuar visitando e adorando a estátua em grupos de homens e mulheres; o que eles veneram, em realidade, não é uma obra humana, mas uma obra divina". (28) A obra em questão é a estátua de Moisés que se situava no túmulo de Júlio II. Observando-se os relevos ao redor da estátua, percebe-se uma nítida semelhança com algumas gravuras antigas da *Menorah*.

Curioso é lembrar que, apesar de Michelangelo e o papa terem uma convivência conturbada, o pontífice mandou construir uma ponte levadiça que comunicava os corredores de sua rêsidência com o ateliê do artista. E, segundo Vasari, essa circunstância criou uma grande familiaridade entre ambos.

Outro episódio interessante ocorreu no retorno de Michelangelo a Roma, quando precisou pedir perdão ao papa. Para reforçar as desculpas que ele estava solicitando, o cardeal Soderini disse que: "os artistas são gente ignorante que não sabem nada fora de seu ofício". E pediu perdão por ele. Ao ouvir estas palavras, o papa encolerizou-se, e golpeando o prelado com um bastão que tinha em mão, exclamou: "o ignorante és tu que insultas a este homem de um modo como nós nunca ousaríamos fazer." (*Vida de Miguel Angel*, p. 29)

Em qualquer uma das hipóteses levantadas, porém, o motivo principal, entre tantos, é que mais do que puro atrevimento, o artista perpetuou uma visão universal sobre a espiritualidade, colocando nos afrescos a miscigenação de tantas filosofias religiosas.

As religiões costumam apresentar dois lados. Um, feito de dogmas e rituais que devem ser seguidos por todos os seus praticantes, e o outro, esotérico, oculto, destinado aos escolhidos, aos sacerdotes, aos iniciados. Minha tese quer mostrar que há similaridades entre todas as filosofias religiosas, apontando para bases comuns e universais. Mais importante que a coragem de um homem, este é o caminho para a integração entre povos. Aliando em um só local tantas filosofias religiosas e arquétipos universais, Michelangelo aponta para o fato de que todas, de uma forma ou de outra, falam sobre as mesmas coisas. É a sabedoria do artista que reconhece a universalidade do conhecimento. Um caminho para a integração entre povos que sempre viveram em guerra.

Onde está a Árvore

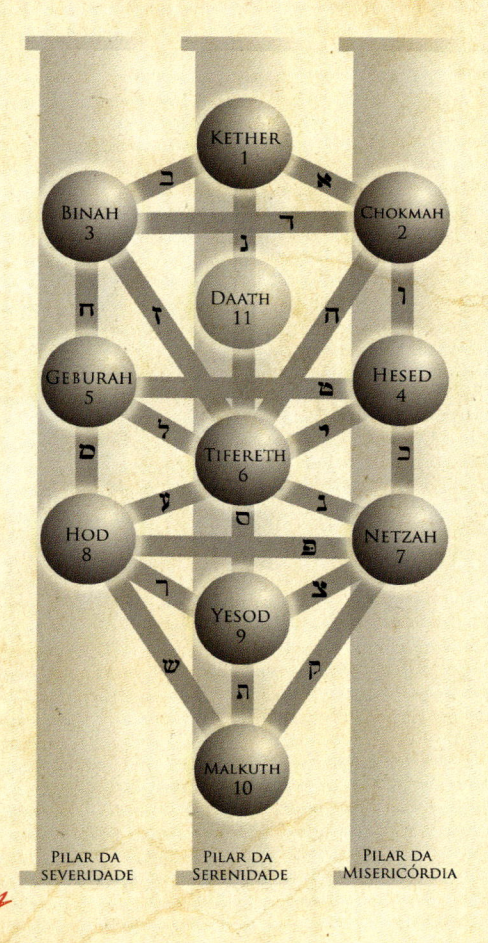

PILAR DA SEVERIDADE · PILAR DA SERENIDADE · PILAR DA MISERICÓRDIA

Demorei muito a compreender por que Michelangelo havia alterado um pouco o formato da Árvore da Vida. Porém, aos poucos, estudando com atenção as imagens e comparando com o diagrama, fui me dando conta de que essa adaptação foi necessária para que o projeto da obra pudesse se adequar ao formato do teto que, como sabemos, ele já encontrou pronto.

Na verdade, no teto da Capela Sistina estão camufladas quatro Árvores da Vida, em sequência, sendo que cada uma é a representação de um dos quatro mundos da Cabala, uma concepção que faz parte da tradição judaica. Essa concepção está expressa no livro de Isaías, o qual cito: "a todos os que são chamados pelo meu nome, e os que criei para minha glória, formei e fiz".

Criar, formar, fazer, glorificar. Quatro verbos que exprimem a concepção do poder Divino, para os cabalistas. Segundo a Cabala, tudo o que está no Universo foi criado, formado, feito e idealizado para glorificar a Deus. Todas elas são ações que os adeptos dessa filosofia compreendem como independentes, realizadas cada uma em um estágio diferente. Ou seja, para cada estágio, um mundo diferente de manifestação.

São estes, então, os quatro mundos de existência no Universo:
1 – Atziluth, o Mundo da Ideia ou Emanação;
2 – Beriah, o Mundo da Criação;
3 – Yetzirah, o Mundo da Formação;
4 – Assiyah, o Mundo da Ação.

ATZILUTH

BERIAH

YETZIRAH

ASSIYAH

ESCADA DE JACÓ

Cada um desses mundos corresponde a uma Árvore da Vida completa, e apresentam quatro densidades diferentes de matéria, da mais sutil à mais densa. Quando se estuda essa sequência de mundos interdependentes, utiliza-se um esquema gráfico de entrelaçamento dessas Árvores, mostrando que esses mundos, apesar de distintos, estão em profunda união e coexistência.

Este esquema gráfico denomina-se a Escada de Jacó, que é um dos símbolos mais importantes para a Cabala. Refere-se ao sonho de Jacó descrito na *Bíblia*, em que ele visualizou uma escada por onde anjos desciam à Terra e subiam aos céus, fazendo o intercâmbio entre os homens e os seres celestiais. No simbolismo, a escada está sempre

ESCADA DE JACÓ

REPRESENTAÇÃO DA ESCADA DE JACÓ POR MICHELANGELO

ESQUEMA GRÁFICO DO TETO DA CAPELA SISTINA

ligada aos problemas das relações entre o Céu e a Terra. Ela é o símbolo da ascensão e da valorização por excelência, ligando-se à simbologia da verticalidade. Indica ainda uma ascensão gradual e uma via de comunicação em sentido duplo entre diferentes níveis. A passagem da Terra ao Céu faz-se por uma sucessão de estados espirituais, cuja hierarquia é assinalada pelos degraus que, aliás, simbolizam os anjos. (30)

Neste esquema gráfico, o entrelaçamento faz-se entre a *Sephira* Thifereth, do mundo mais superior, com Kether do mundo subsequente.

As modificações feitas por Michelangelo neste esquema gráfico, são descritas em alguns estudos cabalísticos e servem para facilitar a interpretação da escada.

Michelangelo alinhou as três primeiras *Sephiroth*, as três subsequentes e as próximas, ficando a Árvore da Vida, com três planos, com três *Sephiroth* cada, e um plano com apenas uma *Sephira*, o Malkuth. Assim feito, neste esquema as árvores se entrelaçam pela *Sephira* Malkuth da árvore superior com a *Sephira* Kether da Árvore inferior.

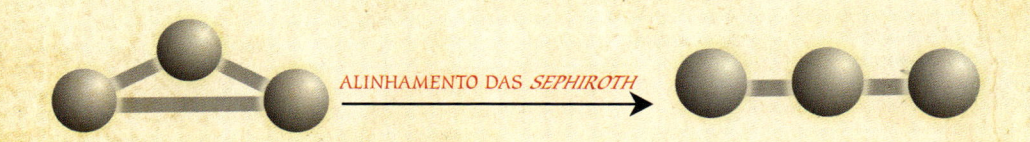

ALINHAMENTO DAS *SEPHIROTH*

Teremos então três Árvores completas sequenciadas, ficando o primeiro mundo, Atziluth, sendo representado por apenas uma *Sephira*. Quando formos descrever esses mundos, ficará mais claro o motivo desta diferenciação.

Na página 51, apresentamos o esquema padrão da Escada de Jacó, ao lado do esquema do teto da Capela Sistina, como planejado por Michelangelo. Assim, mostrados lado a lado, fica mais claro a compreensão do trabalho como um todo.

A Cabala no teto da Capela Sistina – Os Quatro Mundos

omo já dissemos, a Capela Sistina tem as mesmas medidas do Templo de Salomão, o que reforça as associações com a Cabala judaica. O Templo de Salomão também é um símbolo de grande importância para a Maçonaria.*

A superfície da abóboda da Capela Sistina foi dividida por Michelangelo em áreas, concebendo-se arquitetonicamente o trabalho de maneira que resultasse em uma articulação do espaço dividido em pilares. Nas áreas triangulares, alocou a figura dos profetas e sibilas; nas retangulares, os episódios do Gênesis.

As cenas centrais, que são em número de nove, dividem-se em três cenas nas quais Deus se apresenta em destaque, seguidas de três cenas, em que o destaque vai para Adão e três cenas sobre a vida de Noé. Tanto para a Cabala quanto para a Maçonaria, esta divisão pode ser relacionada respectivamente ao mundo do Espírito (Deus), ao mundo da alma encarnada (Adão e Eva) e ao mundo da matéria (Noé).

Se entrarmos na Capela por sua porta original, abaixo do profeta Zacarias e do brasão dos Rovere, as figuras apresentam-se em uma sequência lógica de evolução e voltada no sentido de quem olha. Desse modo, o teto relata os eventos principais do ciclo do século XV,

---

*N.E.: Sugerimos a leitura de *Os Segredos do Templo de Salomão,* de Kevin L. Gest, Madras Editora.

descrevendo nas paredes cenas da vida de Moisés e de Cristo e uma série de papas.

Neste estudo do teto, não serão incluídas as quatro cenas dos cantos, denominadas velas. Esses afrescos pertencem à outra interpretação para essa obra magnífica, que preferimos não incluir neste texto.

Para que a leitura e interpretação dos textos se tornem acessíveis, elaboramos um glossário, que se inicia na página 163.

Passaremos agora à descrição do teto, baseado na Filosofia Cabalista.

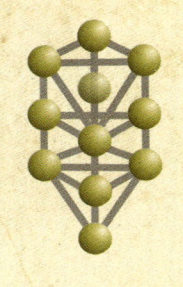

Primeiro Mundo, Emanação, Atziluth

 descrição do primeiro mundo da Cabala Judaica, também denominado Emanação, Proximidade ou Ideia, seria aquilo que poderíamos classificar como Deus antes da criação do Homem, onde nada mais há senão o reflexo dos dez atributos e dos dez nomes de Deus.

Porém, não há como definir Deus. A mente humana não possui essa capacidade. Deus é a existência infinita, sempre existiu. Ele é o Absoluto, o Uno.

Acredita-se que antes da criação da humanidade, havia um estado de passividade negativa, ou não ativa, denominada AIN (nada).

O Mundo Divino contém o passado, o presente e o futuro. É atemporal. Para que se possa experimentar todas as dimensões de Deus são necessários o movimento, o tempo e o espaço.

Acredito ter sido esse o motivo para o Primeiro Mundo, Atziluth, ter sido descrito com apenas uma *Sephira*, a cena de Jonas, pois "nada" ainda havia se diferenciado.

Quando o Criador disse "Faça-se a luz", Ele criou os contrastes, os mundos inferiores e a forma de sua manifestação e reconhecimento nestes mundos.

Quando o Homem Primordial Andrógino é criado no mundo de Beriah, e passa a se diferenciar no Mundo de Yetzirah, começa então um processo de autoconsciência e de aquisição de experiências, que serão aprimoradas no Mundo de Assiah, permitindo assim a evolução individual e também coletiva, pois se considera cada ser humano como uma célula no corpo do Homem Primordial ou Adão Kadmon.

Com essa descrição, podemos perceber que os três Mundos Inferiores, onde há a presença do Homem individualizado, estão descritos com dez *Sephiroth*, no trabalho de Michelangelo.

Para cada *Sephira* de Atziluth há um nome Divino e um atributo de Deus para representar sua essência.

Os dez nomes de Deus	Os dez atributos de Deus
1 Ehieh	Coroa
2 Ihwh	Sabedoria
3 Elohim	Compreensão
4 El	Misericórdia
5 Iah	Justiça
6 Iihwh Elohim	Beleza
7 Yhwh Tzvaot	Vitória
8 Elohim Tzvaot	Glória
9 El Chai Shadai	Fundamento
10 Adonai	Reino

Jonas

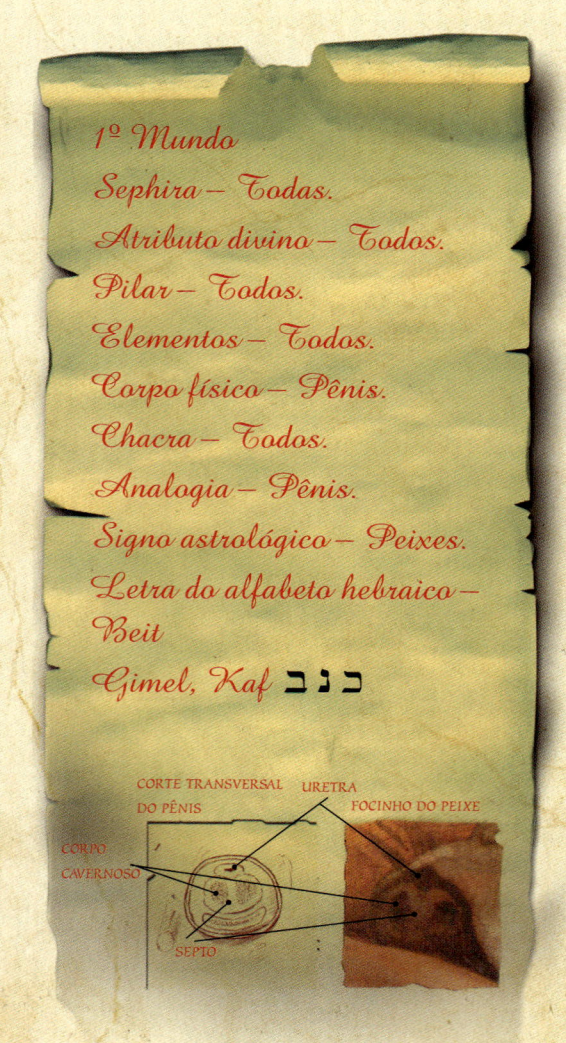

1º Mundo

Sephira — Todas.

Atributo divino — Todos.

Pilar — Todos.

Elementos — Todos.

Corpo físico — Pênis.

Chacra — Todos.

Analogia — Pênis.

Signo astrológico — Peixes.

Letra do alfabeto hebraico — Beit

Gimel, Kaf כ נ ב

CORTE TRANSVERSAL DO PÊNIS

URETRA

FOCINHO DO PEIXE

CORPO CAVERNOSO

SEPTO

Os profetas e as sibilas têm sua importância relacionada com as profecias que anunciavam a vinda do Messias. Jonas, no entanto, tem em sua própria vida a experiência que o eleva à categoria dos profetas: ao ser engolido por uma baleia e ser considerado morto por três dias, foi comparado a Cristo, por alguns críticos de arte, que ressuscitou no terceiro dia após Sua crucificação. Sua posição também acaba sendo de destaque por ser a figura mais próxima do altar e do juízo final (pintado posteriormente).

O profeta Jonas, o único além de Jeremias que não tem em suas mãos nenhum livro ou pergaminho, trás a cabeça voltada para o lado contrário ao corpo, e seu olhar é tanto assustado quanto enigmático. Mas o que me chama a atenção é a sua posição contorcida, com as mãos próximas,

dando a impressão de formar a letra Beit do alfabeto hebraico, que tem como significado *casa* e pode ser interpretada como a busca do lar primordial. No sentido de inspiração para uma meditação seria a busca para tornar-se uma bênção. Somente os homens mais justos e perfeitos são julgados capazes de atingir este nível de ascensão espiritual em direção à unificação. (31)

Porém, também posso interpretar sua posição de mãos como a letra Gimel, que se localiza no caminho entre Tiphereth e Kether. No *Livro da Formação* encontramos o seguinte texto: "Ele entronizou a letra Gimel, criou-lhe uma coroa e criou o Tzedek no mundo". Tzedek ou Júpiter rege o signo de peixes, também em destaque na cena. A letra Gimel ainda significa *camelo* ou *socorrer*. Para meditação, podemos pensar que temos tudo de que precisamos dentro de nós.

Último signo do zodíaco, peixes encerra o *Tikun* cármico, que é a correção final. Diz-se que qualquer um nascido sob esse signo tem a oportunidade de completar seu *Tikun* totalmente. Não para morrer e reencarnar, mas para alcançar a vida imortal.

Na época de Michelangelo, os judeus praticavam o *Tikun* na forma de ajuda mútua, trabalho e caridade em comunidades fraternais; estudos de textos sagrados e leituras públicas de escritos cabalistas e do *Zohar*. Outra letra muito semelhante às duas já descritas é a letra

Kaf, que tem como símbolo uma mão aberta como se apresenta no anjo ao fundo. No caso de Jonas, uma mesma figura faz a descrição de todo o Primeiro Mundo da Cabala. Portanto, este afresco simboliza todas as letras e números. A letra Kaf está presente nas palavras trono, coroa, rei, rainha e simboliza majestade; pode estar presente em Kether e Malkuth e é considerada transcendente e base do ser.

No livro *A Arte Secreta de Michelangelo*, os autores mostram que a peça anatômica camuflada seria o órgão genital. Observando-se os anjos que o acompanham, percebemos que os olhos deles se voltam para a região do baixo ventre de Jonas, sendo esta também a parte de seu corpo mais iluminada. O tecido que se encontra entre suas pernas também está em destaque. Se aceitarmos que Jonas é a representação de Jesus, que era judeu e, portanto, deve ter sido circuncidado quando nasceu, começamos a unir os fatos que envolvem esse mistério.

Na Gênesis, encontramos nos versículos 9-14, do capítulo 17: "circuncidareis a carne de vosso prepúcio; será isso o sinal de aliança entre mim e vós". Já no livro Uma introdução ao estudo da Cabala, fala-se: "e acima deles está a aliança pela voz espiritual, e o rito da circuncisão corpórea" (como a de Abraão). Como podemos observar, a posição no teto da cena, a camuflagem do órgão genital e a comparação entre Jonas e Jesus sugerem que, para se alcançar a Deus, deve-se seguir os caminhos sugeridos pela Árvore da Vida Judaica, incluindo o ritual de circuncisão judaica.

Jonas é a única representação para o Primeiro Mundo da Cabala Judaica. Atziluth é a vontade divina e perfeita. Na Terra, o único homem a cumprir a vontade divina e perfeita foi Jesus. Quanto à árvore ao fundo, lembra muito um ramo de acácia. Essa planta é símbolo por excelência da Maçonaria e representa a segurança, a clareza e, também, a inocência ou a pureza. A acácia foi tida na Antiguidade, entre os hebreus, como árvore sagrada. A arca da aliança, citada no texto bíblico anterior, é feita da madeira dessa planta folheada a ouro. A coroa de Cristo teria sido entrançada com espinhas de acácia. No ritual maçônico, um ramo de acácia é colocado sobre o manto do recipiendário, para recordar aquele que foi plantado no túmulo de Hiram.*

---

*N.E.: Sugerimos a leitura do *Livro de Hiram*, de Christopher Knight e Robert Lomas, e *Girando a Chave de Hiram*, de Robert Lomas, Madras Editora.

Tais tradições demonstram que, no pensamento judaico-cristão, esse arbusto de madeira dura, quase imputrescível, de terríveis espinhos e flores cor de leite e sangue, é um símbolo solar de renascimento e imortalidade (32). A acácia é, inicialmente, um símbolo da verdadeira iniciação para uma nova vida, a ressurreição para uma vida futura, e de conhecimento das coisas secretas. Um símbolo que cai perfeitamente para o significado deste afresco.

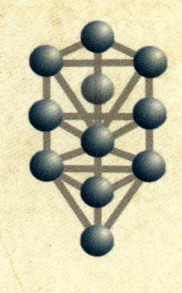

Segundo Mundo, Criação, Beriah

eriah é emanado de Atziluth. "Concentra a energia expansionista que forma as partículas de átomos terrestres essenciais, os elementos e as estrelas. Os sete dias ou períodos da Criação, como descritos na *Torah*, são uma manifestação de Deus em dar origem a todo o mundo material. Do vácuo preexistente surgiu primeiro a Criação da Luz e das Trevas, que o Espírito Divino viu como bom. A seguir, surgiu o firmamento, chamado céu, que separou as águas de cima e as de baixo... finalmente, ao sexto dia, Deus criou as criaturas da Terra, terminando com Adão".

O texto acima, extraído do livro *A Cabala Explicada*, segue explanado que o Segundo Mundo tem relação com o intelecto, a consciência, a criatividade e com o elemento Ar.

Observe que as imagens de Deus se apresentam pairando no ar, fazendo referência ao elemento Ar.

Para as relações dos afrescos com o intelecto e a criatividade, observe as figuras de Jeremias e a metade camuflada do cérebro na Criação de Adão.

A cada *Sephira* deste mundo é atribuído um Arcanjo.

1 – Metatron
2 – Raziel
3 – Zafkiel
4 – Zadkiel
5 – Samael
6 – Michael
7 – Haniel
8 – Rafael
9 – Gabriel
10 – Sandalfon

Separação da Luz e das Trevas

KETHER
1

Sibila Líbica

BINAH
3

Jeremias

CHOKMAH
2

DAATH
11

Jessé, David, Salomão

GEBURAH
5

Salman, Booz, Obeth

HESED
4

Criação do Sol e da Lua

TIFERETH
6

Daniel

HOD
8

Sibila Pérsica

NETZAH
7

Separação das Águas

YESOD
9

Criação de Adão

MALKUTH
10

PILAR DA
SEVERIDADE

PILAR DA
SERENIDADE

PILAR DA
MISERICÓRDIA

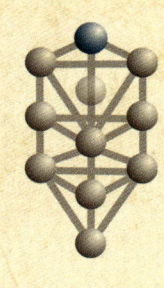

A separação da Luz e das Trevas

2º Mundo

Sephira-Kether

Atributo divino – Coroa, equilíbrio, início da extistência, emanação, vontade divina, unidade indiferente, o santo ser antigo, o absoluto.

Pilar – Central, serenidade, compaixão, equilíbrio.

Cor – Branco brilhante, violeta, todos os elementos, o sopro de Deus.

Chacra – Coronário.

Analogia/camuflagem – Símbolo Yin-Yang, lemniscata e osso hioide.

Letra do alfabeto hebraico – Yod.

A separação da Luz e das Trevas é o primeiro ato da criação do Universo e também, para os platônicos, o início do eterno conflito entre o bem e o mal. É o início da manifestação de Deus nos planos inferiores, em que o intelecto humano pode iniciar seu entendimento.

Escreve Eliphas Levi: "O Homem faz Deus por uma analogia do menos ao mais, resulta disso que a concepção de Deus no Homem é sempre a de um Homem infinito, o que faz do Homem um deus finito... o Homem pode realizar o que acredita, na medida do que sabe e em razão do que ignora, e faz tudo o que quer na medida do que crê e em razão do que sabe... a analogia dos contrários é a relação da luz à sombra, da saliência à cavidade, do cheio ao vácuo. A alegoria, mãe de todos os dogmas, é a substituição das estampas aos clichês, das sombras à realidade. A analogia é a chave de todos os segredos da natureza e a única razão de ser de todas as revelações. Ela é a ciência do bem e do mal". (33)

BRAÇO DE DEUS, OSSO HIOIDE

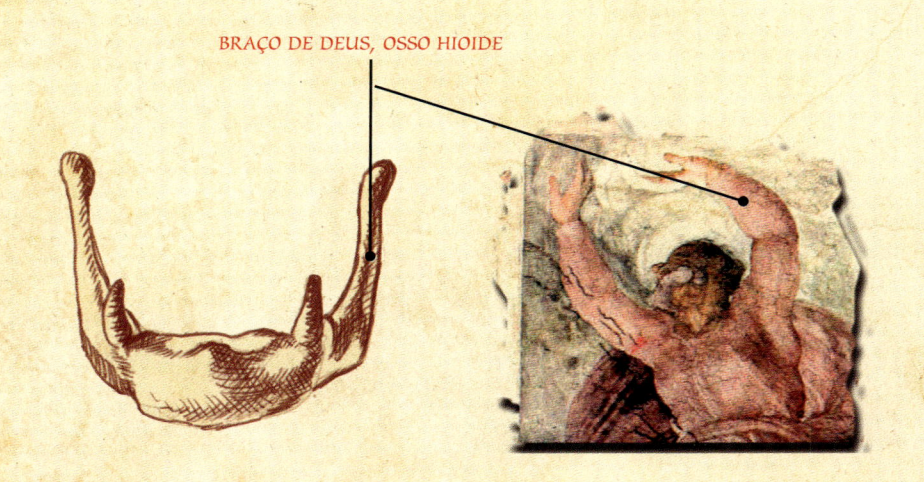

Apesar de este livro ter sido escrito muito tempo depois da época de Michelangelo, por volta do século XIX, ele descreve a forma como o artista compôs seu trabalho, utilizando-se de todo seu conhecimento místico para criar uma obra perfeita. Podemos observar também nesta cena uma clara analogia com o *Yin-Yang* da Filosofia Chinesa. Nota-se que, em um movimento de torção do corpo, com a cabeça e os braços erguidos e voltados para trás, o Criador afasta as trevas, à sua direita, da luz, à sua esquerda. Nesta posição, fica em evidência, destacada pela maior luminosidade, a parte superior da cabeça, o pescoço e a mão esquerda. O movimento do giro do corpo e a separação do claro e do escuro representam o *Yin-Yang*, símbolo da interação e integração harmoniosa das forças femininas e masculinas no Universo. A posição das mãos corresponde aos pontos claros e escuros.

Neste símbolo, conceitos opostos encontram-se separados, porém em equilíbrio. As vestes do Criador são rosa-forte, somatória das cores vermelha (energia primária, da terra), que sobe, com o branco brilhante (espiritualidade, sublimação), que desce.

Um discípulo do cabalista do século XIII, Abraão Abulafia, disse que um Yod se aproximando de outro Yod simboliza a união com Deus. O Yod (à esquerda na ilustração seguinte) é a décima terceira letra do alfabeto hebraico. A união dos dois Yod forma um círculo (no meio) também parecido com o antigo símbolo chinês do *Yin-Yang*, ou Tai Chi (à direita). (34)

No livro *O que é Cabala Judaica*, encontra-se o seguinte texto traduzido do *Livro da Criação*, relacionado à letra Yod: "É suficiente para ti estar gravada e marcada em Mim e ser o ponto de partida de toda a Minha vontade. Não te convirias, pois, ser suprimida do Meu Nome". Observe como o corpo de Deus forma a letra.

Yod, ainda, por ser a menor letra do alfabeto hebraico, pode ser utilizada na meditação por meio da seguinte frase: "no pequeno tamanho está a essência".

Deus onipotente, onisciente e onipresente começa a dar forma à sua criação. Ele tem pleno conhecimento de todas as coisas, pois Ele é todas as coisas. Deus quer que o Homem, a criatura, tenha consciência da Criação, porém lhe falta o discernimento, a distinção. Como se o Homem fosse um peixe que, vivendo na água, não tem ciência dela, como se ela fizesse parte de si mesmo. Nós estamos embebidos da atmosfera que é o próprio Deus...

Querendo se apresentar à criatura, utiliza-se dos contrastes. O peixe passa a ter noção da água quando, fisgado pelo anzol, é removido dela. Também nós conhecemos a luz, quando saímos das sombras.

No livro *Jornada Cabalista*, de José Arnaldo de Castro, encontramos a seguinte descrição para a *Sephira* Kether: "esta esfera é o vórtice que teve origem na contração do véu de luz infinita (Ein Sof Or), pelo qual flui a vontade do Criador". Acredito que esta definição lembra muito bem o que é um chacra.

Por sua vez, a peça anatômica camuflada seria o osso hioide, que fica na região do chacra laríngeo, garganta. (35) Como sabemos, por meio do Velho Testamento, Deus usou sua voz, ou Verbo, para criar o Universo e, assim, podemos justificar a presença do osso hioide nesta *Sephira*. A outra região iluminada é o chacra coronário, por onde penetram as energias espirituais, que diferenciam o ser humano dos animais irracionais.

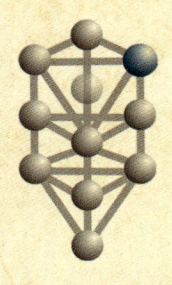

Jeremias

2º Mundo

Sephira-Chokmah.

Atributo divino — Sabedoria, penssamento divino (interno, secreto e impossível de conhecer), pai, intelecto interior.

Pilar — Direito, misericórdia, aspectos masculinos, positivo, expansão, yang.

Cor — Azul-escuro.

Chacra — Frontal.

Analogia/ camuflagem — Ouvido esquerdo.

Letra do alfabeto hebraico — Alef א

Imagem mágica — Patriarca barbado.

A postura de Jeremias sugere um estado de melancolia ou de profunda reflexão. As duas figuras menores estão com seus rostos voltados para o mesmo lado que ele, e alguns críticos de arte acreditam que elas representem os reinos de Judá e Israel. O autor Giorgio Vasari descreve esta figura como amargurada, um autorretrato do artista (36).

Sua postura é a mesma com a qual Rafael o apresenta no quadro *A Escola de Atenas*. É interessante notar também as botas de couro que o profeta está calçando. Vasari observa repetidamente que esse tipo de calçado é uma das características de Michelangelo.

A posição desta figura lembra muito a escultura colocada sobre o túmulo de Lorenzo de Médici, em Florença, representando um temperamento saturniano. Esse profeta era lido durante

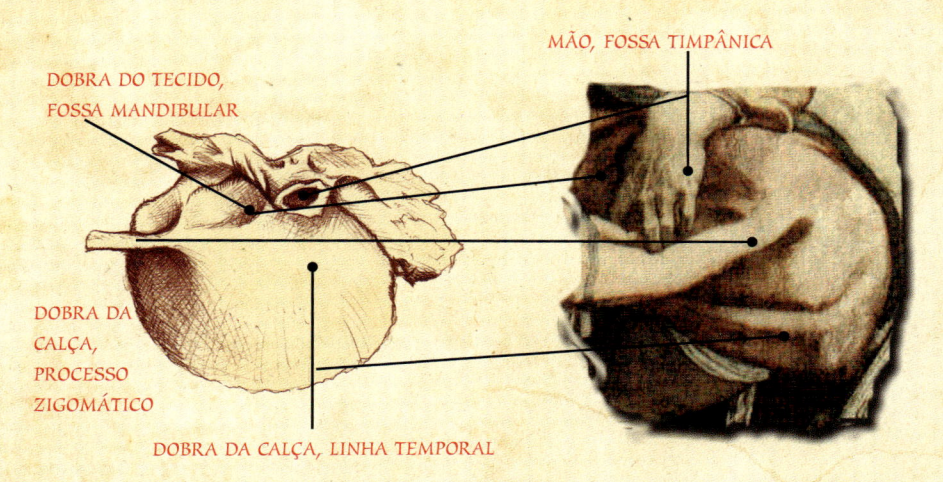

MÃO, FOSSA TIMPÂNICA

DOBRA DO TECIDO,
FOSSA MANDIBULAR

DOBRA DA
CALÇA,
PROCESSO
ZIGOMÁTICO

DOBRA DA CALÇA, LINHA TEMPORAL

a quaresma como uma previsão da Paixão de Cristo. Ao lado do joelho direito dele, está um pergaminho semiaberto, no qual se pode ler

a palavra Alef-v. Alef é o símbolo da unidade de Deus e chama-nos a concentrar energia no que é fundamental. Isso se torna possível por meio da meditação. Alef é a letra do alfabeto hebraico que se apresenta no caminho entre Kether e Chokmah, coincidindo exatamente com a posição desse afresco no teto da capela, quando comparado à Árvore da Vida. O texto que se refere a este caminho relata que dormimos e acordamos. Dia e noite nossa vida germina e não sabemos como nos cabe resgatar nosso parentesco divino, afastar os véus e desvendar os mistérios.

Sua posição inclinada de cabeça é imitada pelas duas figuras ao fundo da cena, deixando em destaque o ouvido esquerdo, que é a região que representa a *Sephira* Chokmah.

Sibila Líbica

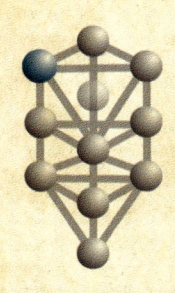

2º Mundo

Sephira – Binah.

Atributo divino – Inteligência, compreensão, discernimento, mãe, insight.

Pilar – Esquerdo, severidade, feminino, negativo, yin, julgamento.

Cor – Azul-escuro.

Chacra – Frontal.

Analogia/camuflagem – Senhora da forma.

Letra do alfabeto hebraico – Shin ש

Sua posição contorcida, deixando à mostra os ombros, o colorido intenso de suas vestes e a delicadeza de seu rosto, fazem da sibila Líbica a mais bela e sensual das profetisas. Ela se apresenta segurando um grande livro, com um de seus pés apoiado suavemente no solo e o outro sobre uma caixa de madeira. Ao fundo, há uma mesa e dois anjos, sendo que um deles aponta para o livro. Nesta cena, observo que a posição da sibila com os braços elevados na altura da cabeça dá a forma aproximada da letra Shin do alfabeto hebraico, que está associada à Binah e a uma compreensão clara dos ensinamentos e da verdade, que pode ser aplicada à vida por meio da linguagem. A letra Shin simboliza o poder divino, e com a letra Alef forma a palavra fogo.

O livro aberto, pronto para ser lido, pode representar também a não-*Sephira* Daath (o Conhecimento). A luminosidade acompanha toda a extensão de seu corpo, desde o pé que toca o chão e por um pedaço de tecido branco, até a sua fronte, na qual se localiza o chacra da Terceira Visão, ligado à intuição. A trança em seus cabelos louros e luminosos significa também uma ligação provável entre este Mundo e o Além, um enlace íntimo de relações, correntes de influências misturadas, a interdependência dos seres.

VASO ABERTO

A CAIXA FECHADA É UMA ALUSÃO À PARCIMÔNIA OU AO CORPO MATERNO

Em Binah está o conjunto de leis que regulam o milagre de transmutar energia em matéria, resultando no Universo material que conhecemos. Por dar forma, Binah representa a imagem arquetípica feminina na criação. Por essa razão, alguns a chamam de "senhora da forma". Essa expressão justifica a beleza da sibila e a ênfase dada à luminosidade que percorre todo o seu corpo.

A caixa onde a profetisa apoia o pé é um artefato neoplatônico, encontrado em toda a Renascença, e representa os quatro níveis ou mundos da existência; tudo se inicia em um ponto (a divindade), que se torna uma linha, transforma-se em uma superfície e desta em um sólido (a caixa). Em outros casos, a caixa faz alusão à parcimônia, uma qualidade típica do temperamento saturniano. É ainda um símbolo feminino, interpretado como uma representação do inconsciente e do corpo materno, que contém um segredo: encerra e separa do mundo aquilo que é precioso, frágil ou temível.

Ao lado esquerdo da cabeça da sibila, encontra-se um vaso. Outro símbolo do feminino é o seio materno, o útero no qual se forma um novo nascimento, o reservatório da vida. O vaso alquímico e o vaso hermético significam o local em que se operam maravilhas, ele contém o segredo das metamorfoses. Aberto em cima, indica receptividade às influências celestes. Na Cabala, tem o sentido de tesouro e pode ser comparado à *Shekinah*.

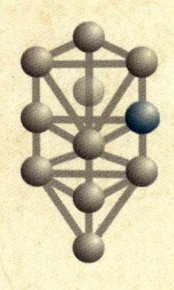

Salman, Booz, Obeth

2º Mundo

Sephira – Hesed.

Atributo divino – Misericórdia, amor, carinho, graça, bondade amorosa. Também denominada Gedulah ou grandeza.

Pilar – Direito.

Cor – Laranja, azul-claro.

Chacra – Laríngeo.

Analogia/camuflagem – Escápula.

As cenas dos antepassados estão sempre delimitadas por triângulos e pintadas em tons mais escuros; nem sempre se consegue interpretar qual é o personagem, já que as lunetas e os triângulos só possuem uma plaqueta para identificar ambos os afrescos.

Nesta cena, tanto a mãe quanto o pai têm a cor verde na veste da região do chacra cardíaco. A mãe apresenta uma faixa rosa cruzando o tórax na região do coração. Ela tem a cabeça coberta com um tecido bem iluminado, e a criança apresenta uma faixa na cabeça no mesmo tom. Os três personagens observam um tecido branco azulado, que a mãe segura. A cabeça do homem está coberta por um gorro

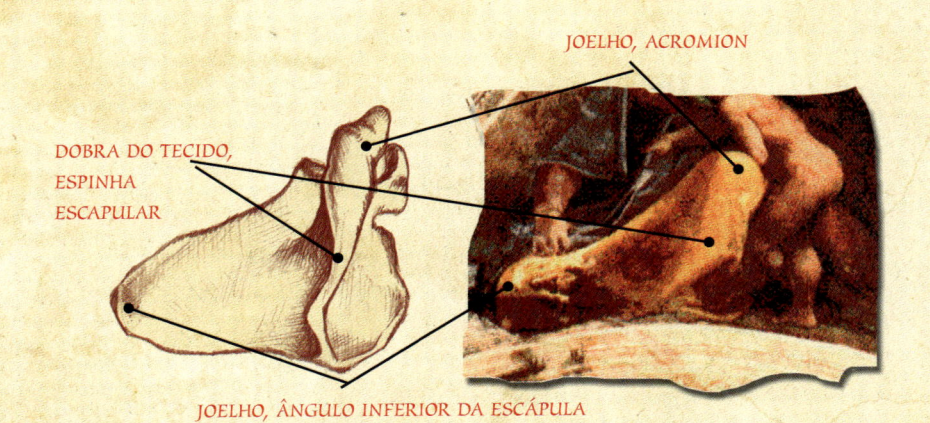

JOELHO, ACROMION

DOBRA DO TECIDO,
ESPINHA
ESCAPULAR

JOELHO, ÂNGULO INFERIOR DA ESCÁPULA

roxo avermelhado. Na época em que Michelangelo pintou o teto da Capela Sistina, alguns judeus foram acusados por seus irmãos de te-rem assimilado demasiadamente a cultura cristã. Rabbi Messer Leon (1420 d.C.-1495) foi um dos acusados, porque adotou o hábito de

usar um capuz vermelho, que era o traje distintivo dos médicos práticos cristãos. E, diferente do que se possa pensar, Messer Leon era contrário às tendências mais liberais que enfraqueciam a identidade cultural judaica. Foi ele também que uniu o aprendizado talmúdico, cabalístico e universitário.

Quase não há iluminação sobre sua cabeça. A cena pode sugerir um estado de harmonia entre pai, mãe e filho, que estão entretidos com uma atividade comum a todos.

Na cena da luneta, encontramos uma mãe aninhando seu bebê no colo. A imagem transmite-nos um sentimento de aconchego e amor maternal. Na mesma luneta, do outro lado da plaqueta que identifica os personagens, temos um velho de barbas longas que observa seu cajado. O curioso é que, quando se aumenta a imagem, observa-se nitidamente que o local de apoio da mão no cajado foi talhado na forma do próprio rosto do velho. A *Sephira* Hesed, associada a essas imagens, tem como atributo divino amor e carinho. Amor para ser demonstrado entre os homens. Os laços existentes entre pais e filhos refletem o amor especial que os homens demonstram em relação uns aos outros e a família. É o principal meio de explorarmos e conseguirmos a evolução de nossos sentimentos.

A desproporção das pernas femininas cobertas por um manto laranja avermelhado em destaque, sugere que tenhamos uma escápula, osso do ombro camuflado. (37)

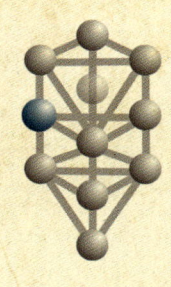

Jessé, David, Salomão

A cena mostra em primeiro plano uma mulher sentada no chão com as pernas cruzadas e o rosto apoiado na mão esquerda, que visivelmente é desproporcional ao tamanho de seu rosto. Atrás dela, no lado esquerdo, encontra-se a figura de um homem vestido de vermelho. No lado direito, uma criança não muito definida. A imagem não tem a mesma ação e a mesma harmonia que encontramos em *Salmon, Booz, Obeth*. E os escravos que a acompanham se apresentam em uma posição de mais repouso que na figura oposta.

Dessa luneta, a impressão que fica é de discórdia ou indiferença no ambiente familiar, sendo que o homem seria David, e a criança, a seu lado, Salomão.

Este afresco se refere à *Sephira* Geburah – justiça ou julgamento – e uma de suas descrições para os cabalistas é: o mal provém de Geburah, sendo também um atributo ou um potencial inerente ao próprio Deus. Em termos humanos, quando a qualidade de Geburah não tem limites, torna-se má. Por isso, o arcanjo associado a esta *Sephira* é Samael (a mão esquerda de Deus), conhecida como Satanás ou Adversário. Os cabalistas não definem o mal como uma influência externa em oposição a Deus. (38)

DESPROPORÇÃO DA MÃO EM
RELAÇÃO AO TAMANHO DA CABEÇA

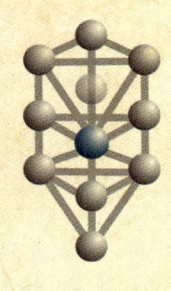

Criação do Sol e da Lua

2º Mundo

Sephira – Tiphereth.

Atributo divino – Beleza, adorno, integridade, equilíbrio, Céu, Sol, rei, filho, mediador, ser santo e abençoado.

Pilar – Central.

Cor – Verde.

Chacra – Cardíaco.

Analogia/camuflagem – Energia Kundalini.

Signo astrológico – Leão.

Letra do alfabeto hebraico – Tet, ט Chet ח

Imagem mágica – Rei solar.

Planeta – Sol.

A cena ficou dividida em duas partes. Deus aparece duas vezes. À direita, Ele se apresenta criando os temperamentos do Homem, influenciados pelos corpos celestes; ou os quatro elementos fundamentais. Ou ainda as quatro estações do ano: o primeiro querubim apontando para baixo representaria a primavera; o que tampa o rosto em consequência do calor ou luminosidade do sol, o verão; o que cobre a cabeça, o outono; e, finalmente, o mais escondido, o inverno.

A *Sephira* relacionada à cena é Tiphereth, que se localiza abaixo do coração e acima do plexo solar, o que justifica que seja esta a parte mais iluminada do corpo de Deus.

Como esta área está relacionada às emoções, os querubins também poderiam representar os quatro temperamentos do Homem. Na imagem em que Deus aparece de costas, um pedaço de manto em forma de tubo cai por entre suas pernas. A sola dos pés e os glúteos também têm boa luminosidade, o que faz dessas regiões referências aos chacras do plexo solar e fundamental.

Pelo chacra fundamental recebemos as energias primárias ou da terra (por isso a criação das plantas na cena), que penetram em nosso organismo por intermédio dos pés ou do ânus, exatamente a região dos chacras. Nas figuras apresentadas a seguir, fica fácil perceber a importância daquele manto como forma de representar a energia Kundalini e o destaque para a sola dos pés.

O *Livro da Formação* nos diz: "Ele designou a letra Chet e a coroou. Com ela, criou o Sol no Universo, a quarta-feira no ano e a orelha esquerda na alma. Ele designou a letra Tet e a coroou. Com ela, criou o Leão no Universo, o Av no ano e o rim esquerdo na alma".

A letra Tet fica localizada no caminho entre a *Sephira* Hesed e a *Sephira* Tiphereth e significa *serpente*, *bondade* ou *cajado*. Apesar de a serpente propriamente dita não aparecer na cena, a representação da energia Kundalini coincide perfeitamente neste afresco, como pode ser observado na figura da página seguinte, em que ela é feita pelo entrelaçamento de duas serpentes.

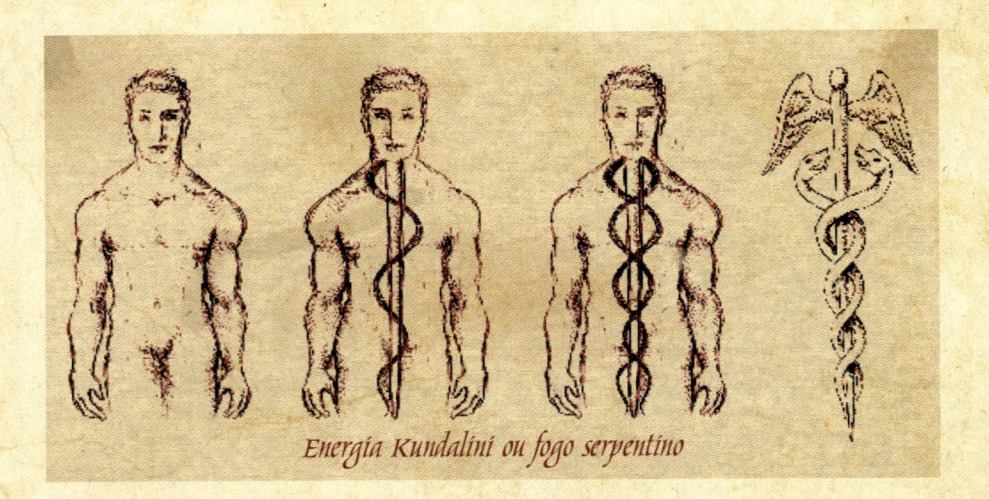

Energia Kundalini ou fogo serpentino

Quando estudarmos o afresco *A Expulsão do Paraíso,* essa representação da serpente ficará totalmente esclarecida.

Quanto ao cajado, ele aparece representado na luneta da cena *Salman, Booz, Obeth* que, no teto, está alinhada a esta, na posição da *Sephira* Hesed.

O mês de Av é considerado o mais negativo do ano por muitas razões. Dentre estas, está o dia em que Jacob feriu seu tendão de Aquiles enquanto lutava contra o anjo de Esaú. Desde então, a *Torah* aconselha-nos a não comer essa parte do corpo de um animal. Será este um dos motivos do destaque dos calcanhares de Deus na cena?

Para equilibrar tal situação, encontramos nesse mês o dia mais alegre do ano. Quando a Lua está em sua plenitude durante o mês regido pelo Sol, ocorre uma equiparação nas energias entre esses dois corpos celestes. Essa situação cósmica provoca um equilíbrio entre os poderes masculino (Sol) e feminino (Lua).

Outro detalhe fundamental é saber que Thiphereth é o centro da Árvore da Vida, canalizando o Espírito Divino para baixo e as aspirações espirituais dos homens para cima. É um ponto de equilíbrio entre a misericórdia e o julgamento.

O livro *A Cabala Explicada* diz: "Na ascensão à compreensão espiritual, os homens devem subir acima de suas preocupações emocionais pessoais e tornar-se um só com o Ser que é uma expressão do Divino. Neste sentido, Tiphereth apresenta um espelho que reflete a luz divina e permite que os justos vejam a sua própria beleza refletida. Da mesma forma, é o ponto de equilíbrio entre as qualidades passivas e ativas do Divino e do Homem, sendo por isso o meio de manter equilibrada as *Sephiroth*". (39)

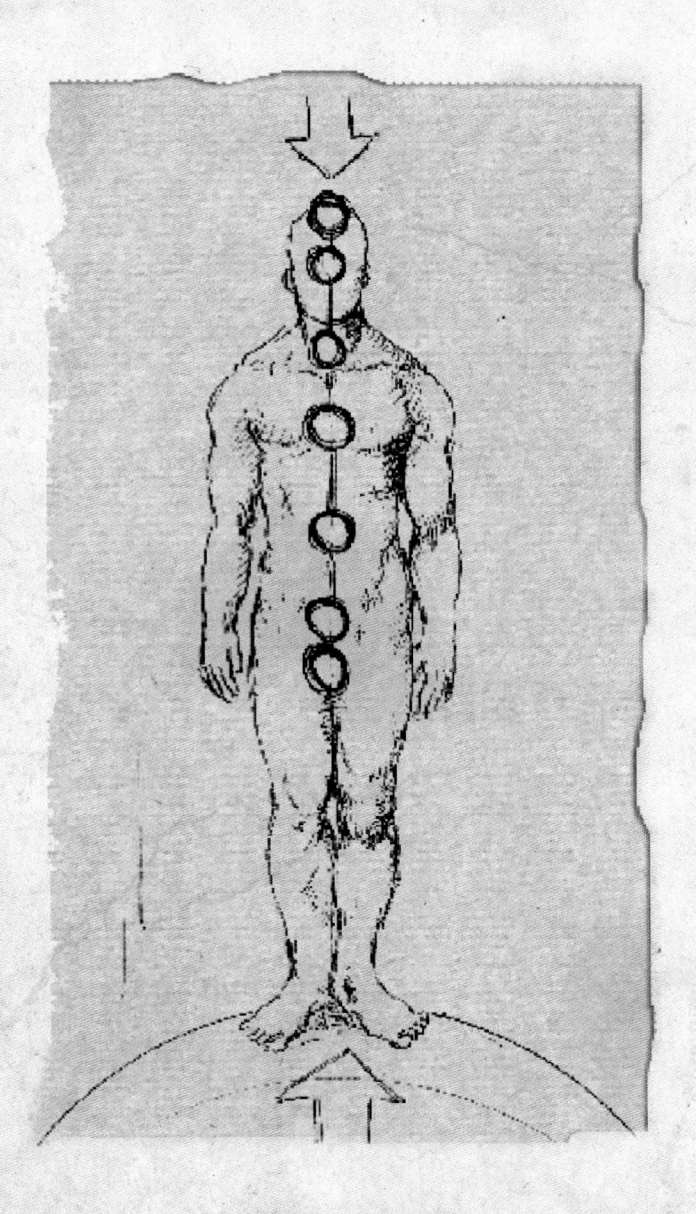

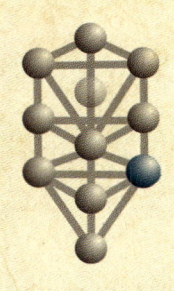

Sibila Pérsica

2º Mundo

Sephira – Netzah.

Atributo divino – Eternidade, vitória, triunfo, resistência.

Pilar – Direito.

Cor – Amarelo.

Chacra – Plexo solar.

Analogia/ camuflagem – Membro inferior em destaque.

Signo astrológico – Câncer (Lua).

Letra do alfabeto hebraico – Kuf ק

Planeta – Vênus

É uma mulher idosa, com a iluminação focada na região posterior da cabeça, descendo ao longo de seu braço e de sua perna esquerdos. A letra Kuf, que se localiza no caminho entre Malkuth e Netzah, significa nuca e convida-nos a fazer algum sacrifício ou oferenda em retribuição a tudo que recebemos durante a vida. A letra Kuf ainda nos convida à receptividade do "não sei". Isto nos torna sempre prontos e dispostos ao aprendizado, segundo o professor José Arnaldo de Castro.

Observe como a região da nuca se apresenta em destaque na cena. Ao fundo, observa-se a imagem de um homem pouco definido, vestido por uma túnica vermelha, com outro personagem logo atrás. Eles não apresentam nenhum ponto de luminosidade. A sibila, aparentemente, tem dificuldade de visão e esforça-se para ler um livro – ou buscar mais sabedoria.

A *Sephira* relacionada à cena, Netzah, representa o desejo do ego, que deve ser cuidadosamente controlado por meio de Hod (reverberação), para impedir que o corpo embarque em uma sobremarcha de autoconhecimento (40). É a esfera que estabelece os limites e a forma de interferência da energia da criação no ser ou no objeto manifestado (41). A dificuldade de visão representa esta interferência no limite do autoconhecimento. A cor para esta *Sephira* é o rosa-claro, como se pode observar no manto da profetisa.

MEMBRO INFERIOR DIREITO
EM DESTAQUE (42)

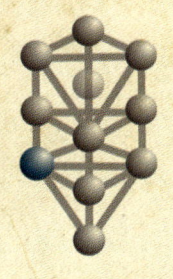

Daniel

2º Mundo

Sephira - Hod.

Atributo divino – Esplendor, glória, majestade.

Pilar – Esquerdo.

Cor – Amarelo.

Chacra – Plexo solar.

Analogia/ camuflagem – Membro inferior.

Signo astrológico – Virgem.

Letra do alfabeto hebraico – Peh 𐤐

Imagem mágica – Hermafrodita jovem.

Planeta – Mercúrio.

"Mas nos dias destes reis, o Deus do céu suscitará um reino que não será jamais destruído; este reino que não passará a outro povo: esmiuçará e consumirá todos estes reinos, mas ele mesmo subsistirá para sempre". Daniel, 2-44

Neste afresco, Michelangelo apresenta Daniel escrevendo seu livro de histórias e profecias. A comprovação das profecias permite que o povo de Deus veja as coisas transitórias à luz da eternidade (Netzah), proporcionando uma base firme para a fé.

Daniel está reclinado para a direita, com o braço apoiado em uma prancheta, de onde pende um "instrumento" não definido, e logo abaixo está um pergaminho enrolado. Não fica definido se ele está lendo o livro que está

LETRA PEH
INVERTIDA

DANIEL

em sua mão esquerda e escrevendo na prancheta, ou se o livro apoiado pelo anjo seria seu livro bíblico.

Sobre seu ombro esquerdo, vemos uma figura distorcida. As regiões iluminadas são seu peito e joelhos. Aliás, a parte anatômica camuflada é justamente a articulação do joelho. (43)

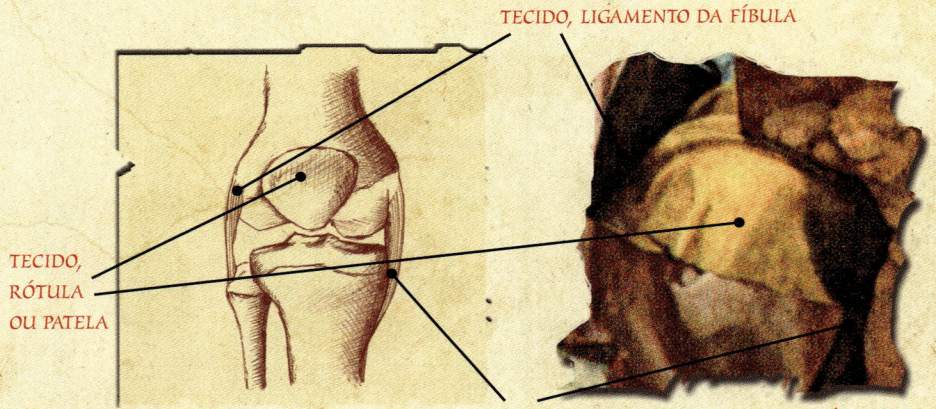

TECIDO, LIGAMENTO DA FÍBULA

TECIDO, RÓTULA OU PATELA

PANO, LIGAMENTO COLATERAL DA TÍBIA

Hod representa a glória, reverberação, honra e esplendor. O pilar esquerdo passivo representa o processo de pensamento que canaliza a inspiração divina para a profecia e os sistemas de monitorização, que controlam a tendência para criar e atuar para o bem do ser. (44)

Sua cor principal é o rosa-escuro, que se apresenta nas vestes de Daniel. No caminho entre Hod e Netzah, encontramos a letra Peh, que significa boca, símbolo da conversa e do silêncio. Na imagem, está camuflada entre as pernas de Daniel e o querubim que segura o livro.

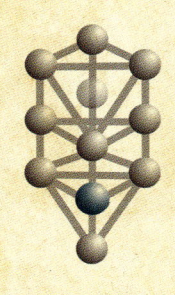

A separação das Águas e da Terra

2º Mundo

Sephira – Yesod.

Atributo divino – Fundação do Mundo, força procriadora da vida no Universo.

Pilar – Central.

Cor – Laranja.

Chacra – Esplênico.

Analogia/camuflagem – Rim ou testículo.

Signo astrológico – Aquário.

Letra do alfabeto hebraico – Tzadi צ

Planeta – Lua.

Acompanhado por três anjos ou querubins, Deus aparece neste afresco voando coberto por um manto rosa-forte, semelhante a um funil ou torvelinho, como nos chacras. Seus braços estão estendidos, as mãos espalmadas.

A imagem pode significar a onipresença divina já que Ele parece olhar para todas as direções e, ainda, separar a imensidão dos céus, no alto, da terra, em baixo.

Nesses afrescos que descrevem a criação do mundo, talvez Michelangelo não tenha se atido a ordem cronológica, como ocorre nos afrescos que descrevem a vida de Noé.

Yesod é o meio pelo qual a criatividade e a força da vida divina abrem caminho para baixo, até o Mundo de Assiyah (Ação), onde encontra expressão em todos os aspectos da vida humana. A potência sexual garante a união das energias masculina e feminina para a criatividade.

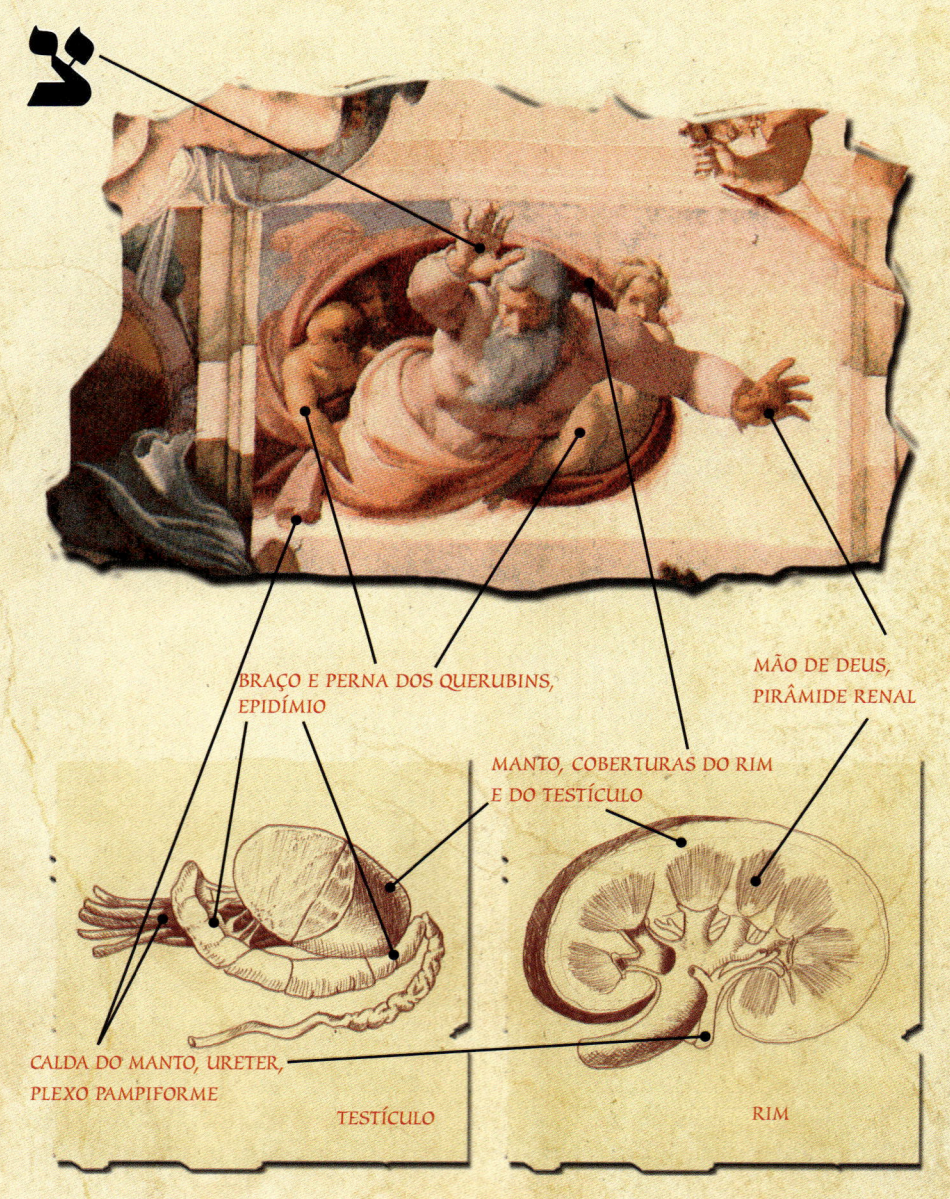

BRAÇO E PERNA DOS QUERUBINS, EPIDÍMIO

MÃO DE DEUS, PIRÂMIDE RENAL

MANTO, COBERTURAS DO RIM E DO TESTÍCULO

CALDA DO MANTO, URETER, PLEXO PAMPIFORME

TESTÍCULO

RIM

O *Livro da Formação* diz: "Ele coroou a letra Tzadi e criou com ela o Aquário no mundo, o Shevat no ano e o estômago na alma".

Essa *Sephira* está relacionada aos genitais do Homem primordial, e voltando aos livros de anatomia, penso que o órgão camuflado poderia ser um testículo. Mas também faz sentido que seja o rim, já que no século XV a função renal era conhecida como separadora de águas. (45) Tomando por base as cores, podemos lembrar que o vermelho pertence ao chacra básico, que governa a coluna vertebral, a glândula suprarenal e também os rins.

Aquário é um signo denominado *distribuidor de água*, mas ele também pode ser associado ao elemento Ar, o que fica nítido na apresentação de Deus voando no céu.

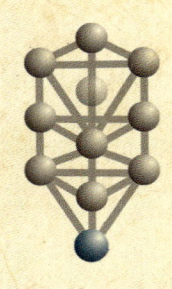

A criação de Adão

2º Mundo

Sephira-Malkuth, Shekinah.

Atributo divino – Reino, divina presença, o aspecto feminino de Deus, poder de Deus no Mundo.

Pilar – Central.

Cor – Vermelho.

Chacra – Fundamental.

Analogia / camuflagem – Todas as Sephiroth.

A cena mais famosa da Capela Sistina é também uma das mais significativas e belas. O braço direito de Deus está estendido em direção a Adão, que eleva seu braço esquerdo de tal forma que os dois quase se tocam pela ponta dos dedos.

O Criador, suspenso nos céus, está envolto em um manto, com 11 anjos ou querubins e uma figura feminina. Seu braço esquerdo se apoia nesta personagem, e sua mão no ombro de um dos querubins. Sua veste se mantém rosa-claro, reforçando a ideia de que Deus não só transfere a alma e o intelecto, mas também as energias mais espiritualizadas.

Acredito que essa figura de mulher nada mais é que *Shekinah*, a presença de Deus na Terra, que apresenta um aspecto feminino. Observe o texto do livro *A Cabala Explicada*: "nosso mundo, Malkuth, é o reino em que existe a humanidade. Enquanto a alma de todos os homens é criada em Beriah, é a união entre o homem e a mulher que traz a existência dessa alma para Malkuth, como um ser humano".

Malkuth, ou Reino, é também conhecido como *Shekinah*, ou a imanência de Deus... *Shekinah* sustém os mundos inferiores e é a presença de Deus que paira em Malkuth. Ela representa o mundo físico e é o ponto onde as forças espirituais e físicas se encontram. Em relação ao homem, Malkuth corresponde ao corpo físico. (46)

Malkuth representa ainda a materialização do plano Divino de manifestar um ser vivente, autossustentado, capaz de procriar, dotado de mobilidade e apto a desenvolver múltiplas habilidades relacionadas com sua existência. Essa materialização constitui especificamente o corpo físico que nos equipa, contata e interage constantemente com o mundo exterior por meio de seus sentidos. Os 11 anjos mais a figura feminina podem ser interpretados como os meses do ano, ou as 12 tribos de Israel. Ou ainda, Deus, a figura feminina e o anjo onde Deus apoia a mão, seriam uma representação da Sagrada Família ou da Santíssima Trindade.

Voltando à Cabala, penso que Michelangelo representou uma Árvore da Vida completa, já que a cena encerra a maior das Criações de Deus: o Homem. E é em Malkuth que ocorrem todas as interações espirituais e físicas. Portanto, penso que os 11 anjos representem as dez *Sephiroth* da Árvore da Vida e a não-*Sephira* Daath. Elas se apresentam mais ou menos distribuídas como na árvore original, sendo que Daath se apresenta escondida entre Chokmah e Binah; depois se segue uma tríade representando Hesed, Tiphereth e Geburah; abaixo, temos Hod, Yesod e Netzah. À frente de Deus, Malkuth, enquanto Sua mão se apoia em Kether.

Acredito ainda que a figura exalte o feminino, pois é a mulher que dá apoio a Deus na Criação de Adão. Existe um equilíbrio entre forças *Yin-Yang*, feminino e masculino. Os chacras iluminados em Deus são o frontal e o cardíaco. Adão está em repouso e à esquerda, enquanto o Criador voa com seu séquito à direita. A rocha onde Adão se apoia tem tom azul na região do chacra frontal e verde na região do chacra cardíaco.

HOD

YESOD

NETZAH

MALKUTH

GEBURAH TIFERETH

HESED

SHEKINAH BINAH DAATH CHOKMAH

KETHER

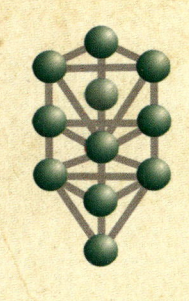

Terceiro Mundo, Formação, Yetzirah

o Mundo da Formação, regido pelo elemento Água, que se apresenta ao fundo da cena central que é a *Criação de Eva*. Essa cena também revela a diferenciação de Adão Kadmon, andrógino, em dois seres distintos, masculino e feminino.

Também representa a vida emocional e as inter-relações da vida na Terra.

"Yetzirah descreve um processo contínuo de mudança. No livro da Gênesis, Adão é a palavra-chave genérica para o primeiro ser humano, tanto se aplicando ao ser masculino como ao feminino. Mais tarde, Adão é transformado em dois seres distintos, tendo Eva sido criada a partir de uma costela dele, tornando-se sua parceira: Yetzirah expressa esta diferenciação" (47).

Como havíamos explicado anteriormente, Malkuth, do Segundo Mundo transforma-se em Kether, do Terceiro, dando sequência à Criação.

A cada *Sephira* está relacionado uma Hoste Angelical.

1 – Chaiot Hakodesh
2 – Ofanim
3 – Arelim
4 – Chashmalim
5 – Serafim
6 – Malachim
7 – Elohim
8 – Bnei Elohim
9 – Querubim
10 – Ishim

Vibrações planetárias:
1 – Primeiros redemoinhos
2 – O zodíaco
3 – Saturno
4 – Júpiter
5 – Marte
6 – Sol
7 – Vênus
8 – Mercúrio
9 – Lua
10 – Terra

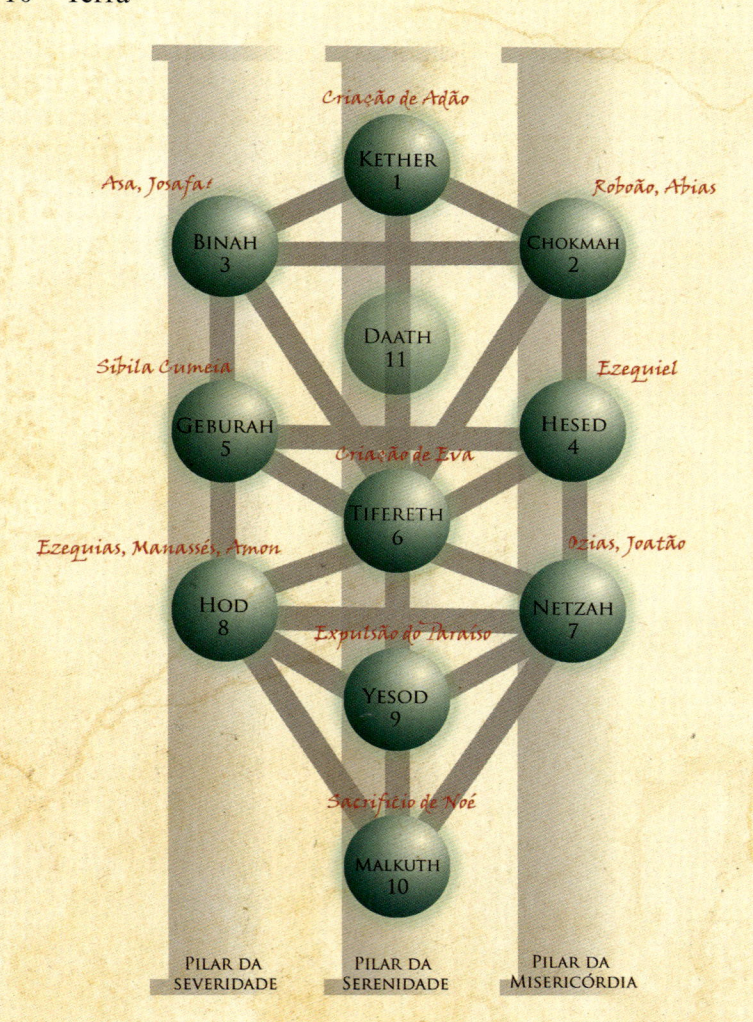

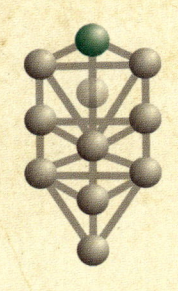

A criação de Adão

3º Mundo

Sephira – Kether.

Atributo divino – Coroa, equilíbrio, inicio da existência, emanação, vontade divina, unidade indiferente, o santo ser antigo, o absoluto.

Pilar – Central.

Cor – Branco, brilhante, violeta, todos os elementos, o sopro de Deus.

Chacra – Coronário.

Analogia/ camuflagem – Hemisfério cerebral.

A cena permanece a mesma, mas a interpretação irá se modificar um pouco. Podemos observar a grandiosidade da obra de Michelangelo, quando passamos a perceber todos os detalhes e símbolos que a constituem.

Olhando atentamente a figura da página seguinte, é possível notar um crânio em corte sagital. (48) Logicamente, isto é mais visível para aqueles que estão acostumados com peças anatômicas. Porém, para as pessoas menos preparadas para esse tipo de observação, não fica difícil reconhecer quando se faz a comparação.

Kether significa coroa, fica no alto da cabeça, representa o início da existência, emanação, vontade divina e, também, o absoluto, o oceano ilimitado.

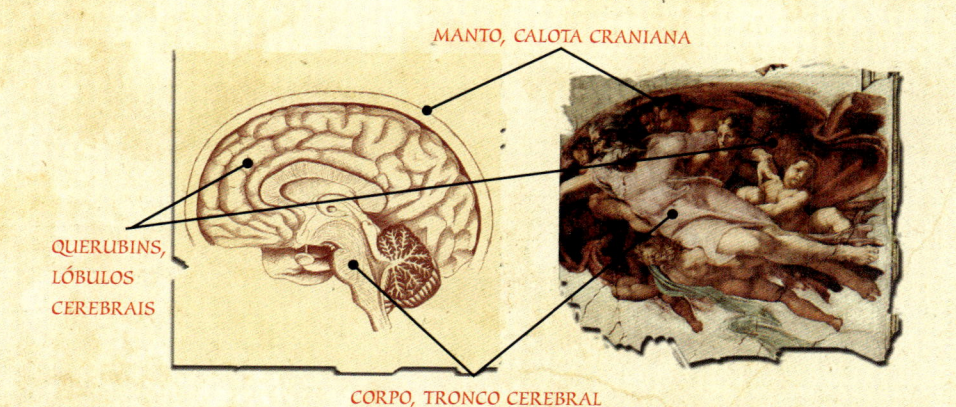

MANTO, CALOTA CRANIANA

QUERUBINS, LÓBULOS CEREBRAIS

CORPO, TRONCO CEREBRAL

Sabendo dessas referências que são feitas a Kether, podemos perceber que estamos no caminho certo para a descoberta de grande parte da simbologia oculta do mestre. O dedo indicador esquerdo de Deus, que se apoia no ombro do anjo, é desproporcional para o tamanho da mão e forma um V voltado para baixo. Esse é o símbolo do masculino, em contraposição ao feminino (o V voltado para cima).

Outros sinônimos para Kether são: vontade, inspiração, espírito. O *Zohar* chama a Kether "a vontade que nunca pode ser conhecida ou entendida, a cabeça mais recôndita no mundo superior". (49)

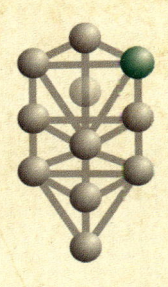

Roboão, Abias

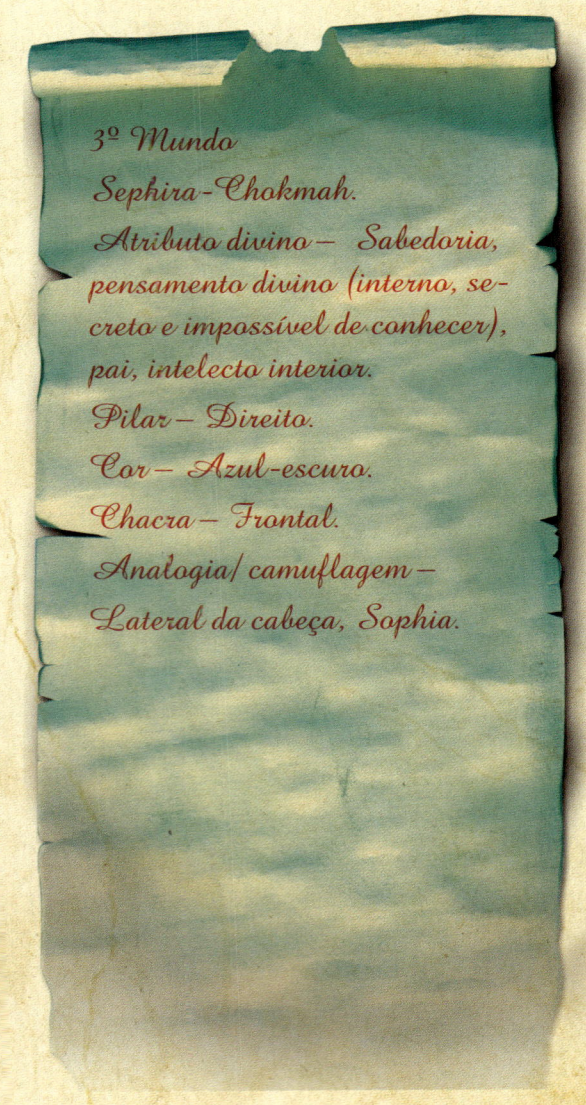

3º Mundo

Sephira – Chokmah.

Atributo divino — Sabedoria, pensamento divino (interno, secreto e impossível de conhecer), pai, intelecto interior.

Pilar — Direito.

Cor — Azul-escuro.

Chacra — Frontal.

Analogia/ camuflagem — Lateral da cabeça, Sophia.

Roboão era filho do rei Salomão e pai de Abias. Seu reinado se realizou na época em que houve a divisão do Reino de Israel. Ele foi rei do Israel meridional, comumente denominado Reino de Judá.

Neste afresco, vemos uma mulher em posição de reflexão. Poderia estar falando ao ouvido da criança. Atrás dela, apresenta-se uma figura masculina pouco definida. Novamente, uma família. A mulher abraça a criança com seu braço direito. A parte mais iluminada é a lateral esquerda da cabeça e do corpo dela. A ênfase fica para a lateral do rosto, ombro e perna do lado esquerdo. Em sua cabeça há uma trança que a envolve e, na porção superior, há

O DEDO INDICADOR SOBRE
A BOCA REPETE O MOTIVO
DE SILÊNCIO RELACIONADO
A SATURNO

MANTO FORMA
UM V VOLTADO
PARA CIMA

uma parte que se sobressai. Aparenta tranquilidade, enquanto procura uma solução. A posição deste afresco é a mesma de Jeremias na sobreposição da Árvore da Vida.

"Para a Cabala, a posição de Chokmah na Árvore indica a natureza masculina de partilha da energia dos ensinamentos de Deus. As representações divinas e humanas não fazem parte da arte judaica, devido à proibição de imagens esculpidas; porém, as tradições mais recentes exprimem a sabedoria como uma forma feminina". (50)

Sophia

"A noção de sabedoria era personificada na antiga cultura grega por meio da imagem de Sophia". (51) Observe a figura que representa Sophia (na página anterior) e compare-a com a imagem do afresco. Ambas apresentam a trança ou a "serpente" sobre a cabeça.

A peça anatômica camuflada é a cóclea, que é uma estrutura interna do ouvido que fica na lateral da cabeça. (52)

A luneta referente a esta cena apresenta uma mulher, provavelmente grávida, no lado esquerdo da cena, e um homem totalmente prostrado, com uma criança ao fundo.

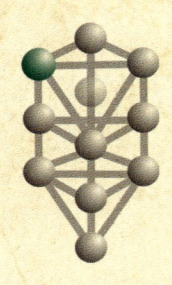

Asa, Josafat, Jorão

3º Mundo

Sephira-Binah.

Atributo divino — Inteligência, compreensão, discernimento, mãe, insight.

Pilar — Esquerdo.

Cor — Azul-escuro.

Chacra — Frontal.

Analogia/ camuflagem — Narina.

Signo astrológico — Touro.

Letra do alfabeto hebraico — Vav ו

Peh פ

Planeta — Saturno.

Asa era filho de Abias e pai de Josafat, que por sua vez era pai de Jorão. A época mais próspera do reino de Judá foi durante o reinado de Josafat, e conta-se que este buscou a Deus com todo o seu coração.

Na luneta, encontramos, à direita, uma mulher que amamenta uma criança que está em pé à sua frente, enquanto segura uma outra nos ombros, apoiando-a com seu braço direito e, com o esquerdo, abraça outro bebê. Aparenta ser uma mãe devotada às três crianças.

Binah é a mãe superior, referida como o Palácio e o Ventre, de onde descendem as outras *Sephiroth* inferiores, denominadas filhas.

Dentro do triângulo, encontramos uma figura feminina central, que está com a cabeça abaixada, e atrás dela há uma figura masculina disforme, aparentando ter chifres e beijando sua nuca. Na época de Michelangelo, já existia a Medicina Astrológica, que posicionava ao longo do corpo humano os signos do zodíaco que influenciavam às suas regiões, de modo determinado. O pescoço relacionava-se com o signo de Touro e, talvez, seja este o significado dos "chifres" na cabeça do homem. Mas isto somente faz sentido quando sabemos

DOBRA DO TECIDO, SEPTO NASAL

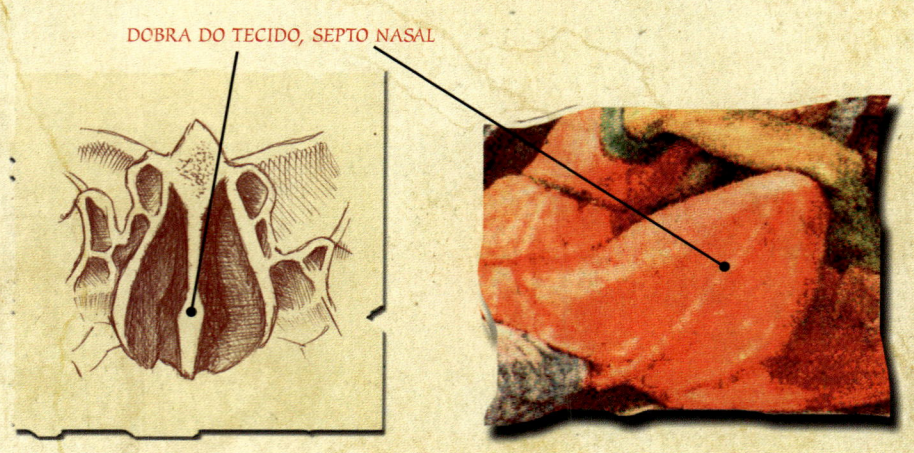

que o mês relacionado ao signo de Touro tem como atributo o "pensamento correto". Uma devoção especial ao estudo da *Torah*. Esta informação também dá sentido à presença de um homem, à esquerda da luneta, que aparece lendo um pergaminho que poderia ser a representação da *Torah*. O *Livro da Formação* diz: "Ele coroou a letra Peh e criou com ela Vênus no mundo, a quinta-feira no ano e a narina esquerda na alma. Ele coroou a letra Vav e criou com ela Touro no mundo, o Lyyar no ano e a mão esquerda na alma".

A letra Vav, ainda, convida-nos a participar do mundo conectando-nos a nós mesmos. A melhor forma de conexão é por meio da meditação. É fundamental na Filosofia Cabalista.

Essa figura principal do triângulo aparenta total desânimo, como quem desistiu de algo muito importante. Prostração. Há também uma criança ao fundo, olhando para a cabeça da mulher, mas está pouco definida. Todas essas imagens me fazem pensar que quando o Criador entrega ao Homem o intelecto/discernimento, este deixa de lado sua intuição (conexão) e faz com que esta enfraqueça e seja dominada. "O Sefer Yetzirah ensina que o primeiro passo para se aproximar das *Sephiroth* é compreender com sabedoria e ser sensato com inteligência. Nem a aplicação fiel do intelecto racional, nem a devoção estática da meditação mística são suficientes para apreender a intenção do plano divino. Em vez disso, deve-se lutar intensamente para explorar a consciência verbal e não-verbal, racional e irracional." (53)

A peça anatômica camuflada é a articulação do ombro, em destaque na cena. (54) Porém, essa região estaria associada às próximas duas *Sephiroth*, Hesed e Geburah. Acredito que a cena ainda camufle o septo nasal nas vestes vermelhas da mulher em destaque no triângulo.

Ezequiel

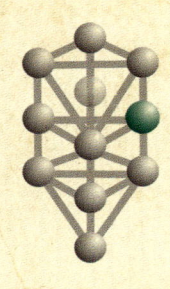

3º Mundo

Sephira-Hesed.

Atributo divino — Misericórdia, amor, carinho, graça, bondade amorosa.

Pilar — Direito.

Cor — Azul-claro.

Chacra — Frontal.

Analogia/camuflagem — Musculatura do antebraço.

Signo astrológico — Touro, Leão.

Letra do alfabeto hebraico — Tet ט Vav ו

Planeta — Júpiter.

"Olhei, e eis que um vento tempestuoso vinha do norte, e uma grande nuvem, com fogo a revolver-se e resplendor ao redor dela, e no meio disto uma coisa como metal brilhante que saía do meio do fogo. Do meio dessa nuvem saía à semelhança de quatro seres viventes, cuja aparência era esta: tinham a semelhança de homem. Cada um tinha quatro rostos, como também quatro asas." Ezequiel, 1: 4-6

Merkabah, ou carro-trono de Deus, é o nome dado ao misticismo praticado pelos primeiros judeus. Essa tradição era baseada na visão do profeta Ezequiel, que tem muitas semelhanças ao encontro de Moisés com a sarça que ardia, mas não era consumida.

Nesta cena, Michelangelo mostra o profeta Ezequiel, com o corpo voltado para a direita, onde se apresenta uma figura feminina, com os braços levantados e as mãos aparentando fazer sinais. Parecem duas letras do alfabeto Hebraico: Vav e Tet.

MANTO DO PESCOÇO, DELTOIDE

MANTO
ENROLADO,
EXTENSOR
CARPI RADIAL

MANTO ENROLADO, TRÍCEPS

Sobre Vav, que se localiza na Árvore da Vida no caminho entre Chesed e Chokmah, encontramos o seguinte texto no livro *A Cabala*

Explicada: "(Deus) tornou a letra Vav rainha sobre o pensamento, ligou-lhe uma coroa, combinou esta com aquele e com eles formou Taurus no Universo, Lyyar no ano e o rim direito na alma masculina e feminina". Observe que o afresco anterior a este – *Asa, Josafat, Jorão* – também apresenta uma referência ao signo de Touro. Este signo controla o mês da Primavera, época entre a festa da *Pesach* (passagem), que celebra a libertação da escravatura no Egito sob a liderança de Moisés, e a festa de *Shavuot* (Pentecostes), que tem lugar sete semanas mais tarde. (55)

Sobre a letra Tet, que se localiza no caminho entre Chesed e Geburah, podemos destacar que é ao signo de Leão e ao mês Av, em que se pranteia a destruição do Templo de Jerusalém por Roma e pela Babilônia, que se assemelhavam a leões, daí a associação com o signo. Também esse é o mês da "audição correta".

Atrás de Ezequiel, há outra figura que não pode ser definida como masculina ou feminina. O profeta olha fixamente para a jovem, como se esperasse uma resposta ou com admiração e espanto pelo que vê ou ouve. As partes mais iluminadas são a lateral esquerda de seu rosto, o ombro, o joelho esquerdo e o pulso direito. Na mão esquerda, segura um rolo de profecias.

A peça anatômica oculta é o conjunto de ossos do punho, camuflado no manto lilás que recobre o lado direito do corpo do profeta (56). Porém, acredito estar mais em evidência a musculatura dissecada do ombro no manto azul-claro que o recobre.

Ezequiel ainda "foi o profeta que exortou os judeus a reconstruírem o Templo de Jerusalém, após receber uma visão em que um topógrafo, dotado de um barbante de linho e uma mira, apareceu a ele para apresentar as dimensões adequadas da estrutura, inclusive a espessura das paredes e a profundidade da entrada, dimensões que foram reproduzidas fielmente quando a Capela Sistina foi construída". (57)

Sibila Cumeia

3º Mundo

Sephira – Geburah.

Atributo divino – Julgamento, justiça, poder, severidade,
bravura.

Pilar – Esquerdo.

Cor – Azul-claro

Chacra – Laríngeo.

Analogia/camuflagem –
Coração, balança.

Signo astrológico – Libra,
Câncer.

Letra do alfabeto hebraico –
Lamed ל, Zayin ז, Chet ח

Planeta – Júpiter.

Era a mais im-
portante das profetisas
romanas. Nas églogas
de Virgílio, profetizou
o nascimento de uma
criança que traria paz ao
mundo e sua volta a uma
Idade de Ouro. Isto seria
não só uma referência à
paz de Cristo, mas tam-
bém aos planos do papa
Júlio II.

Michelangelo mos-
tra uma mulher sentada
com a parte superior do
corpo voltado para a es-
querda que, a despeito de
sua idade, apresenta bra-
ços e pernas vigorosos.
Segura firmemente um
livro em sua mão, tendo
a expressão de quem está
atenta à leitura. As cores
de suas vestes, de tona-
lidade metálica, bem
como a força física, evo-
cam uma característica
de força militar, referência à forma de governo
de Júlio II.

Seguindo na descrição da cena, observamos logo abaixo do livro uma bolsa com "pergaminhos enrolados" e a seu lado, pendendo de um tecido marrom, uma faca ou adaga. Os dois personagens ao fundo possuem um livro que estão segurando fechado e observam o

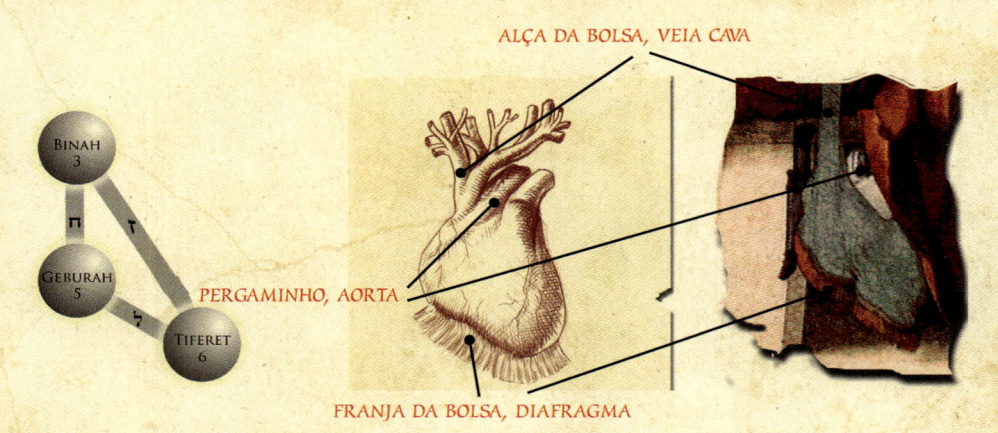

texto que a sibila Cumeia está lendo. Os dois anjos estão com o braço esquerdo na mesma posição que o da profetisa. O que poderia ser uma referência para a mão esquerda de Deus, como já foi explicado antes. Segundo Ross King, o querubim da direita faz um gesto grosseiro com os dedos, que seria o equivalente italiano a erguer o dedo médio com os restantes fechados.

A *Sephira* correspondente a esta imagem, Geburah, representa justiça, bem como a faca no misticismo medieval, que simboliza o espírito ou a palavra de Deus; A faca também se apresenta de grande importância no ritual da circuncisão e recebe o nome de "cabeça-mãe da circuncisão" para os bambaras. O sacerdote tira-a de sua bainha como o pênis do circuncidado sairá do seu prepúcio.

Outro fato que reforça essa descrição é a letra Zayin, que se encontra no caminho entre Chokmah e Geburah, tem seu símbolo semelhante a uma espada e dá-lhe o valor simbólico de uma arma. Encontrei essa ligação entre Chokmah e Geburah somente no livro *A Cabala Explicada* (58). Em outros textos, encontro a letra Zayin fazendo a ligação entre Binah e Tiphereth, formando um triângulo com Geburah. Colocando em destaque esse triângulo, teríamos para o terceiro lado a letra Chet (temor), no caminho entre Binah e Geburah.

GÊMEOS

FACA, ADAGA OU
ESPADA REPRESENTANDO
A LETRA ZAYIN

Essa letra representa o signo de câncer, ou caranguejo, simbolizado nas vestes sobre a perna direita da sibila. O mês do ano é Tamuz, dedicado a aumentarmos a santidade do mundo por meio de uma visão correta. Essa letra também está associada ao signo de Gêmeos (representado pelos dois querubins ao fundo) e, mais relevante para a interpretação cabalística, é o uso dela no Cântico dos Cânticos, comparando os dois seios da amada do autor com duas corsas gêmeas de uma gazela. Observe os fartos seios da sibila.

A bolsa pode camuflar o coração, representativo da *Sephira* seguinte, Tiphereth, ou ainda a balança, outro símbolo muito característico da justiça.

A Criação de Eva

3º Mundo

Sephira – Tiphereth.

Atributo divino – Beleza, adorno, compaixão, integridade, equilíbrio, Céu, Sol, rei, filho, mediador, ser santo e abençoado.

Pilar – Central.

Cor – Verde.

Chacra – Cardíaco.

Analogia/ camuflagem – Pulmão, árvore brônquica.

Letra do alfabeto hebraico – Lamed ל

Nesta cena, a figura de Deus não aparece mais pairando no ar. Atiziluth tem como elemento a Água. Ao fundo da cena, observa-se nitidamente a divisão entre o céu, a água e a terra.

Isso também retrata a divisão da Capela em um espaço reservado para o papa e o clérigo, e outro para a congregação. Nota-se também que as sibilas e os profetas se tornam figuras um pouco menores que as que já foram descritas e que se situam mais próximas do altar.

A postura de Eva pode ser interpretada como uma referência à dedicação da Capela Sistina para a Assunção da Virgem. Ela surge do tórax de Adão, que está dormindo recostado em um tronco de árvore, e sua posição de corpo e mãos sugere uma súplica perante Deus.

O Criador, aparentemente, explica algo para Eva. Suas vestes deixam de ser rosa-forte e passam para um lilás. Apenas seu braço direito apresenta um tom vermelho e parte do tecido que toca o solo. Toda a lateral direita de Eva e a esquerda de Deus apresentam maior luminosidade.

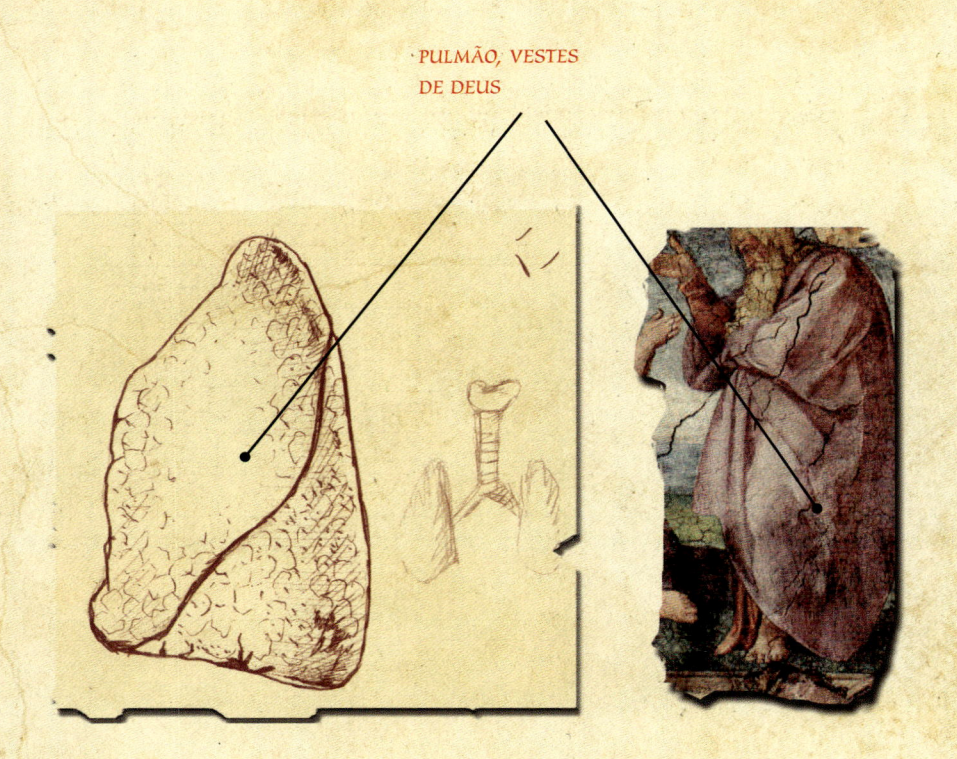

PULMÃO, VESTES
DE DEUS

Um texto cabalista parece explicar bem a cena: "Tiphereth, ou beleza, é o centro da Árvore da Vida, canalizando o Espírito Divino para baixo e as aspirações espirituais dos homens para cima". (59)

No afresco, Eva encontra-se no centro da cena, entre Adão, representando a Humanidade à esquerda, e Deus, à direita. Sua posição é de súplica e de entrega a Deus. A cena descreve um Paraíso destituído de beleza, vida, animais... bem diferente daquilo que esperamos encontrar no Jardim do Éden.

A posição das cabeças de Adão, Eva e Deus formam um plano; o corpo de Deus está bem ereto e o de Adão, em ângulo reto com ele, formando-se assim um triângulo equilátero que simboliza a Divindade, a harmonia e a proporção. Na tradição judaica, o triângulo simboliza Deus, cujo nome não se pode pronunciar. Para a Maçonaria, o triângulo equilátero tem como elemento a água, o mesmo elemento do terceiro mundo que estamos descrevendo. O três, na simbologia dos números, é a expressão da totalidade, da conclusão da manifestação. Deus é um em três Pessoas (Santíssima Trindade).

A Cabala multiplicou as especulações sobre os números. Parece ter privilegiado a lei do ternário. Tudo provém, necessariamente, de três, que, ao mesmo tempo, não passa de um. Em todo ato, distingue-se:

1 – o princípio atuador, causa ou sujeito da ação;
2 – a ação desse sujeito, seu verbo;
3 – o objeto dessa ação, seu efeito ou seu resultado.

Esses termos são inseparáveis e são reciprocamente necessários uns aos outros.

Está escrito no *Zohar*: "A *Shekinah* implora para se reunir ao seu Amado, pois quando isso acontece, grande número de justos recebe sua herança sagrada e uma grande quantidade de bênçãos é concedida ao mundo". (60)

O órgão anatômico camuflado seria o pulmão e a árvore brônquica, que tem relação com o chacra cardíaco. (61)

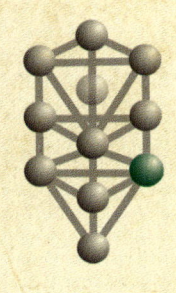

Ozias, Joathan, Achaz

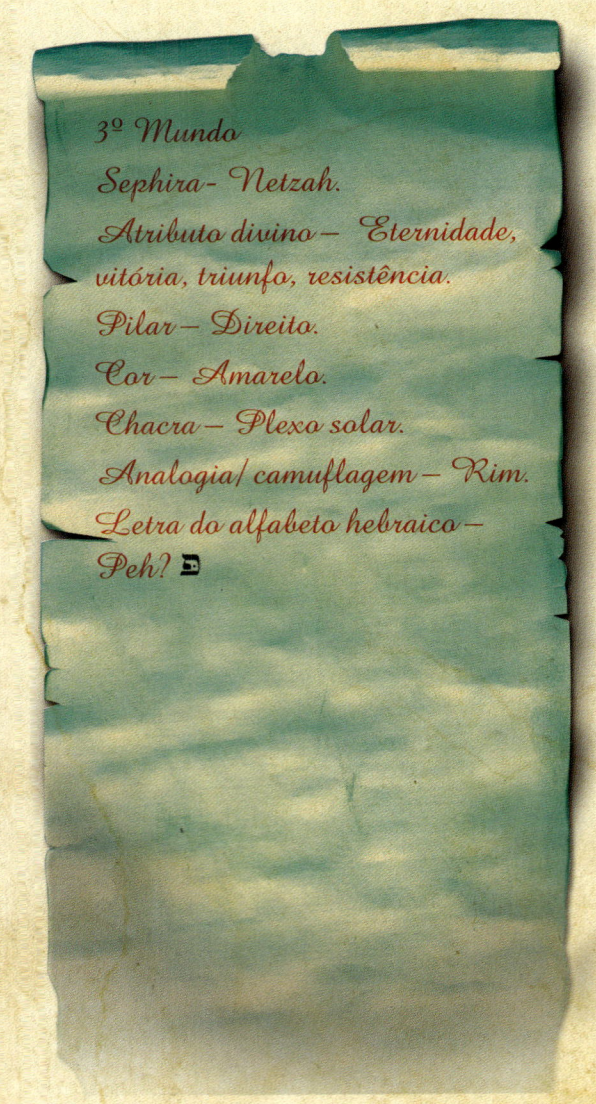

3º Mundo

Sephira- Netzah.

Atributo divino — Eternidade, vitória, triunfo, resistência.

Pilar — Direito.

Cor — Amarelo.

Chacra — Plexo solar.

Analogia/ camuflagem — Rim.

Letra do alfabeto hebraico — Peh? ‏פ‎

A cena mostra uma mulher sentada no chão à direita da cena. Ela tem na mão esquerda um pedaço de pão, que representa o pão ázimo, do qual se compõe a hóstia hoje, símbolo da aflição e da privação, a preparação para a purificação e a memória das origens. Ou, ainda, o pão é a representação do alimento essencial, assim como o Cristo é o Pão Sagrado da vida eterna.

Sua cabeça possui um turbante branco bem iluminado. Uma criança toca a região lateral de seu corpo, próxima ao seio. Há um homem à sua frente que, aparentemente, olha diretamente para o observador, e logo atrás uma figura pouco definida de outra criança.

A região mais iluminada da cena, além da cabeça, é o braço esquerdo da mulher.

No caminho entre Hod e Netzah, temos a letra Peh, que significa boca. É a primeira letra da palavra Pardes, que significa *pomar* ou *paraíso*. Tem o mesmo significado para os caldeus. Esse *paraíso* é a representação da morada da imortalidade. Netzah representa a eternidade ou vitória.

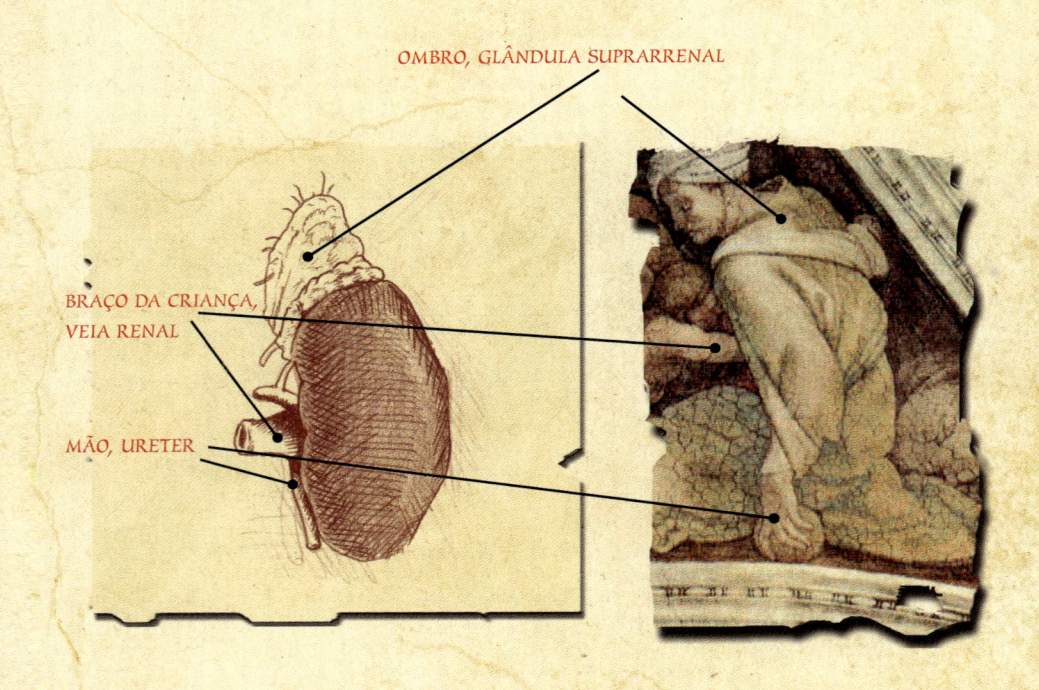

OMBRO, GLÂNDULA SUPRARRENAL

BRAÇO DA CRIANÇA, VEIA RENAL

MÃO, URETER

O chacra que se relaciona com esta cena é o plexo solar, e os órgãos de referência são pâncreas, estômago, fígado, vesícula biliar e sistema nervoso; o que não coincide muito bem com o órgão camuflado, que seria o rim esquerdo. (62)

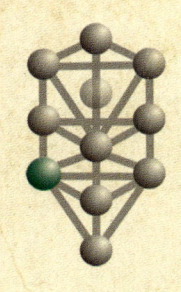

Ezequias, Manassés, Amon

3º Mundo

Sephira – Hod.

Atributo divino – Esplendor, glória, majestade.

Pilar – Esquerdo.

Cor – Amarelo.

Chacra – Plexo solar

Analogia/camuflagem – Membros inferiores, pâncreas, estômago, fígado, vesícula biliar, processos involuntários.

A figura central deste afresco é uma mulher sentada no chão, com a perna esquerda cruzada sobre a direita e uma maior luminosidade na região dos seios e do ombro esquerdo. À sua frente, uma criança fixa o olhar no espectador e tem sobre sua cabeça uma espécie de chapéu. Ao fundo, encontramos a figura de um homem idoso. Na cena da luneta, encontramos uma mulher à esquerda com um bebê no colo e outro no berço, o que sugere gêmeos. Há gêmeos também nos afrescos de *Josias, Iechonias e Salatiel, e Ozias, Joatham e Achaz*. O homem que se situa à direita da luneta pode ser a representação de Manassés em meditação ou sono.

O órgão camuflado nas vestes verdes da mulher localizada no triângulo pode ser o nervo trigêmeo, que se localiza na lateral da face, região de mandíbula e osso temporal e também inerva a região da boca (63). A letra Peh, que fica no caminho entre Hod e Netzah, significa boca. Porém, Hod está associada aos membros inferiores, em destaque na mulher do triângulo, e ao chacra do plexo solar.

A expulsão do Paraíso

3º Mundo
Sephira- Yesod.
Atributo divino — Fundação do Mundo, força procriadora da vida no Universo.
Pilar— Central.
Cor — Laranja.
Chacra — Esplênico.
Analogia/ camuflagem — Órgãos genitais, Caduceu, energia Kundalini.

Esta cena está dividida em duas partes. Na primeira, à esquerda, encontram-se Adão e Eva, aceitando comer do fruto proibido, oferecido pela serpente. Adão e Eva são jovens

e têm boa aparência. Observa-se que Adão se serve do fruto da Árvore. Portanto, para Michelangelo, Eva não teve tanta culpa assim. Sua posição é de repouso e ela recebe o fruto da serpente. A postura de Adão é de ação, em pé, ele mesmo se servindo.

No livro *Michelangelo e o Teto do Papa*, encontramos o texto que segue: "novas teorias a respeito de Eva circulavam em 1510. Um ano antes que Michelangelo pintasse essa cena, um teólogo alemão chamado Cornelius Agrippa von Nettsheim publicara *Sobre a natureza e a superioridade do sexo feminino*, no qual argumentava que Adão, e não Eva, tinha sido proibido de comer do fruto da árvore da sabedoria. Então, foi o homem, e não a mulher, que pecou ao comer; o homem, e não a mulher, trouxe a morte; e todos pecamos em Adão e não em Eva. Agrippa concluía assim que era injusto impedir as mulheres de ocuparem cargos públicos ou mesmo de pregar o Evangelho. Uma visão liberal que imediatamente fez com que ele fosse expulso da França, onde ensinava a Cabala em Dole, perto de Dijon". (64)

Na segunda parte, Adão e Eva, com os rostos envelhecidos e envergonhados, tentam afastar-se de um anjo todo vestido de vermelho, com uma espada na mão. A serpente que separa a cena se apresenta em destaque enrolada na árvore, de tal forma que não se entende muito bem se ela possui uma ou duas caudas.

A posição de Yesod na Árvore da Vida a associa ao chacra esplênico ou umbilical e ao sistema reprodutor. Segundo os cabalistas, a potência sexual garante a união das energias masculina e feminina para a criatividade, que é uma asserção das duas. Yesod é o poder cocriativo de Deus, em que a luz divina aguarda para explodir.

O pecado original, relacionado ao sexo, e a vergonha por estarem nus, dão a nós todo o reforço necessário para dizermos o que esta cena representa: a energia Kundalini, ou da terra, ou primária, ou ainda o fogo serpentino, que penetra em nosso organismo pelo chacra básico ou fundamental e apresenta qualidades positivas e negativas, que, quase poderiam ser chamadas de masculinas e femininas. Observe que, no esquema abaixo, a energia sobe até a região que seria

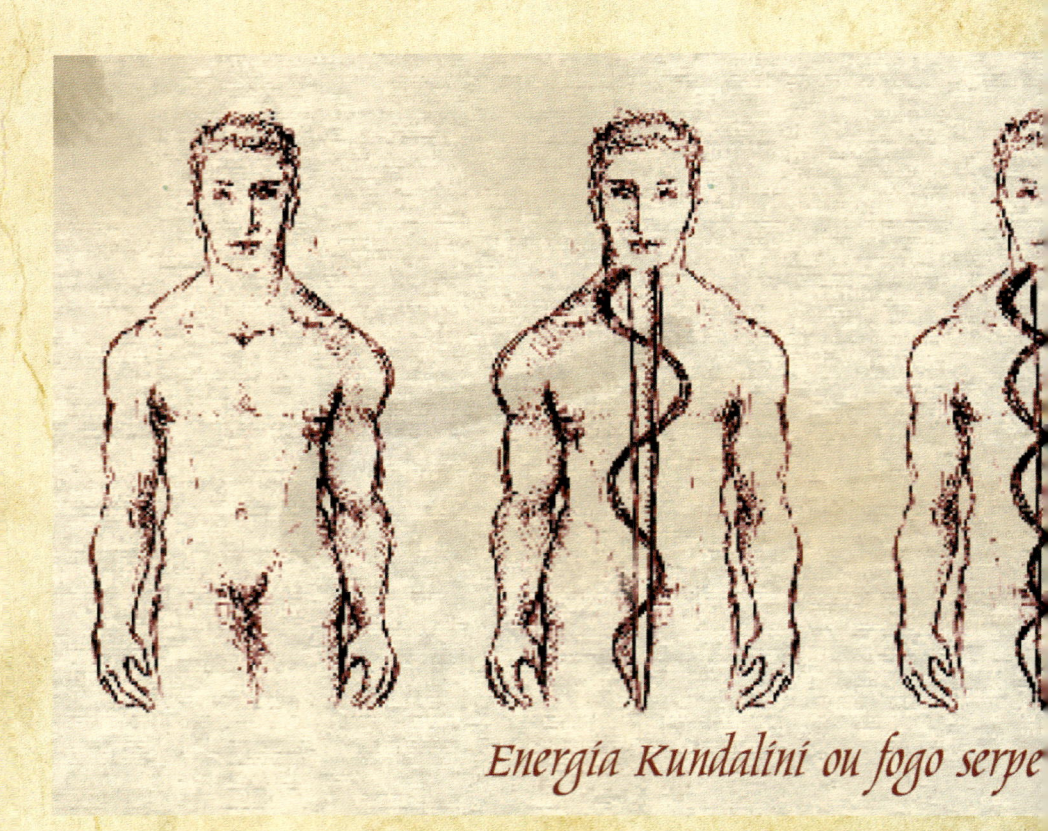

Energia Kundalini ou fogo serpe

do pescoço, onde na segunda metade da cena há um anjo com uma espada.

Este símbolo que descreve a energia Kundalini dividida em dois ramos, ida e pingala, é um dos mais antigos, tendo sido descrito há mais de 2.600 anos. Denomina-se Caduceu. É feito de uma vareta de ouro, ou Árvore da Vida, onde se enrolam, simetricamente, duas serpentes. Ele evoca o equilíbrio de forças opostas que se harmonizam para construir uma forma mais estática e uma estrutura ativa, mais alta e mais forte. A dualidade das serpentes e das asas mostra esse supremo estado de força e de autodomínio que pode ser realizado tanto no plano dos instintos (serpente), quanto no nível do espírito (asas).

Michelangelo representou a Árvore da Sabedoria como uma figueira, já que o figo era conhecido como um símbolo da luxúria.

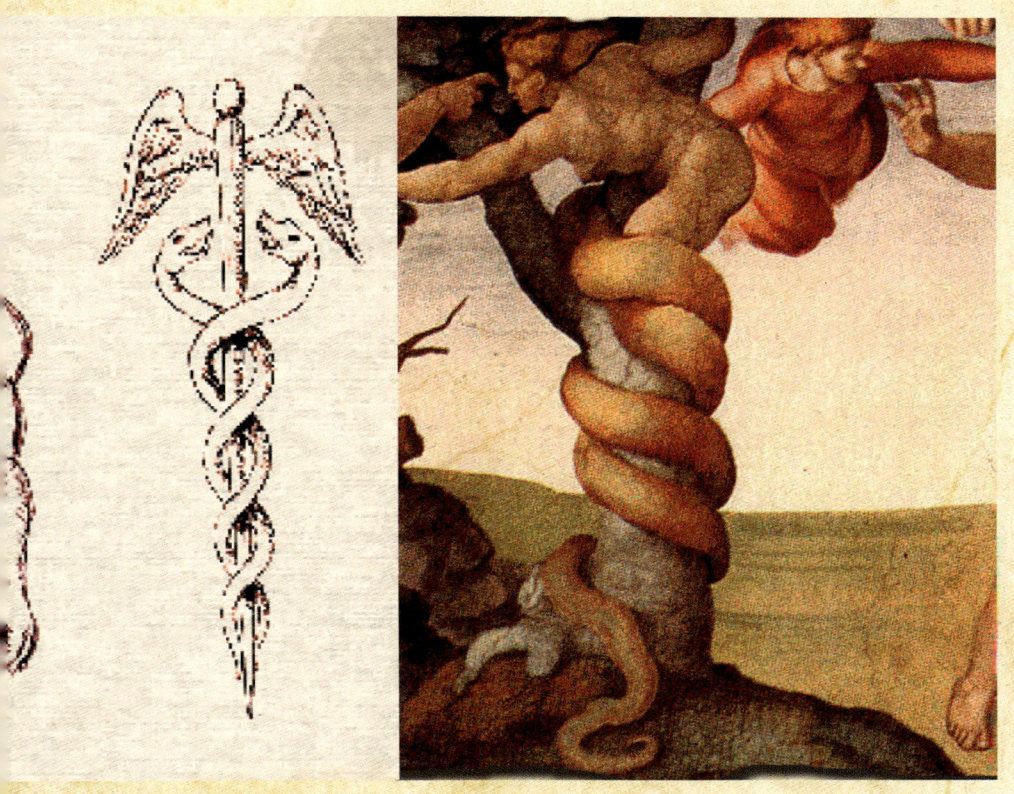

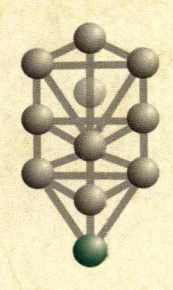

O sacrifício de Noé

3º Mundo

Sephira- Malkuth, Shekinah.

Atributo divino — Reino, divina presença, o aspecto feminino de Deus, o poder de Deus no Mundo.

Pilar — Central.

Cor — Vermelho.

Chacra — Fundamental.

Analogia/ camuflagem — Tendões dos pés.

Signo astrológico — Áries.

Letra do alfabeto hebraico — Tau ♪

Planeta — Terra.

Começo o estudo da cena perguntando qual o motivo de alguns personagens estarem completamente nus e outros totalmente vestidos. Os que se encontram nus seriam uma referência aos pecadores em expiação?

O jovem sobre o carneiro sacrificado entrega ao outro filho de Noé as vísceras do animal. Mas, se são vísceras, por que o corte é feito no pescoço? O jovem que carrega o feixe de lenha para avivar o fogo foi por algum tempo confundido pelos críticos de arte com uma mulher. Poderia ser a representação de *Shekinah*, a presença feminina de Deus na terra?

Isso faz sentido quando sabemos que o feixe de lenha é o símbolo do composto humano transitório, que a sucessão da vida e da

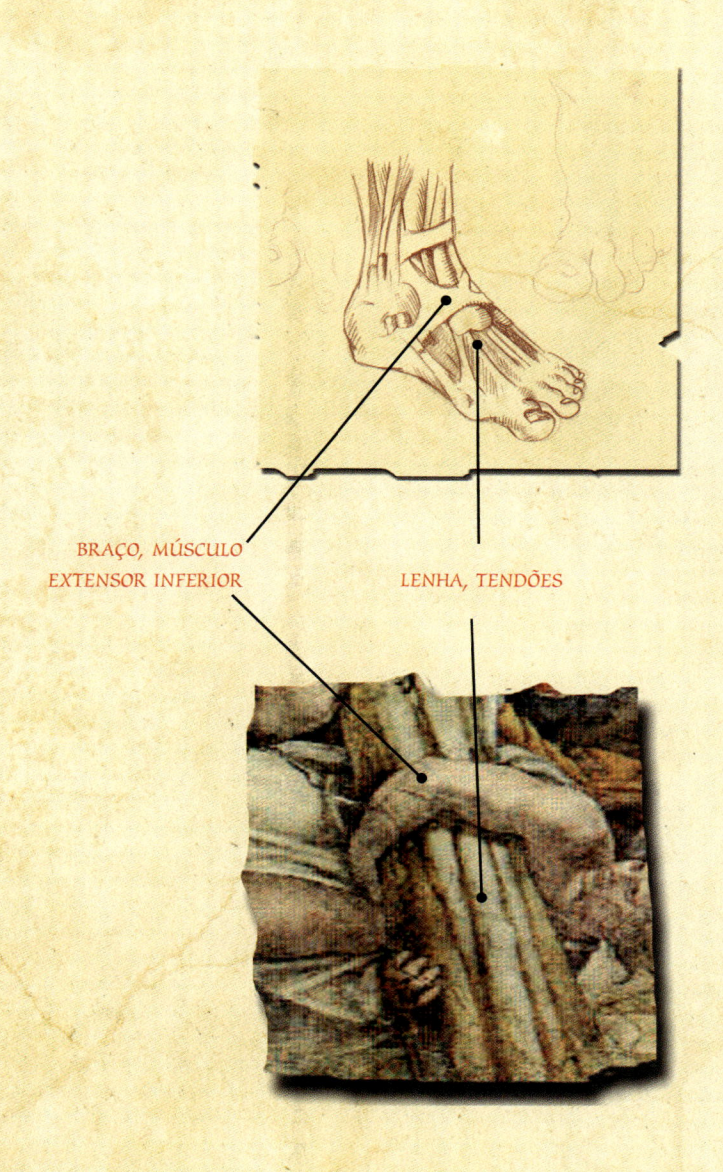

BRAÇO, MÚSCULO
EXTENSOR INFERIOR

LENHA, TENDÕES

LETRA *HE* DO ALFABETO HEBRAICO
DE PONTA CABEÇA

VERMELHO É A COR DO CHACRA FUNDAMENTAL

morte ata e desata. O fogo é o espírito que se propaga de um feixe a outro sem nunca se apagar.

Para os autores do livro *A Arte Secreta de Michelangelo* (65), a parte do corpo camuflada seriam os tendões do punho. Como estamos falando de Malkuth, acredito que sejam os tendões do pé, que são muito semelhantes aos da mão. "Malkuth é o nível da vida diária comum em que todos vivemos. Os seus atributos são expressos por aqueles que utilizam os seus talentos para fazer algo verdadeiro na vida. Podem ser grandes pessoas ou pessoas más, mas são, normalmente, pessoas comuns cujas ações podem marcar a diferença no mundo." (66)

Vejo em Noé a personificação desta *Sephira*. O sacrifício de Noé pode ser um agradecimento a Deus não pelo término do Dilúvio, mas sim pela concretização de Sua obra.

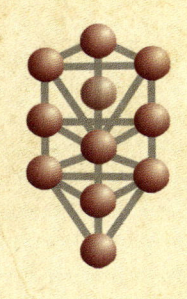

Quarto Mundo, Ação, Assiyah

hegamos ao último grupo de *Sephiroth*, que representa o Mundo da Ação e o Reino do Corpo.

"Este é o mundo terreno que conhecemos, povoado por seres humanos e animais que interagem com a vida vegetal e o mundo inorgânico. Os mundos superiores descem e interagem com o reino de Assiyah de forma que o resultado da inspiração, da criação e da formação possam ser completados. Assiyah está, assim, ligado ao conceito de concretização."(67)

Se Assiyah corresponde à junção dos elementos químicos e à formação dos reinos vegetal, animal e mineral, nada mais ilustrativo que o nascimento de um ser vivo, para simbolizá-lo. É isto que encontro na sexta *Sephira* deste conjunto, na cena do Dilúvio.

Também há uma relação direta deste Mundo com o trabalho e a natureza, e encontramos essa relação na nona *Sephira*, em que no canto esquerdo Noé se apresenta arando a terra, que é o elemento do Quarto Mundo.

Como estamos falando do ciclo da vida, nascimento e morte, podemos também interpretar a cena da embriaguez de Noé, como uma representação da morte.

E para fechar as comparações, a cena do Sacrifício de Noé é a primeira do Quarto Mundo e, também, a primeira a apresentar animais.

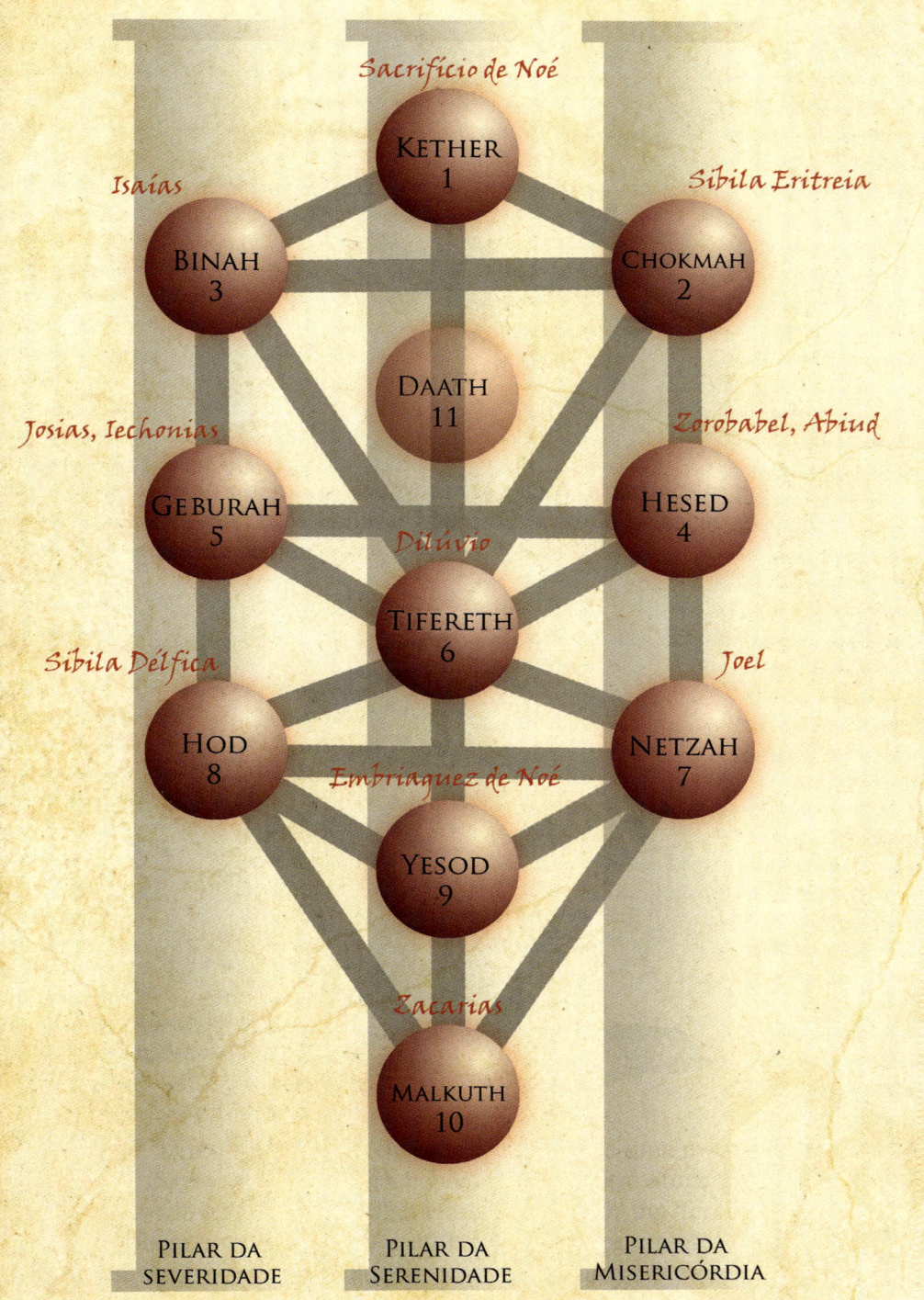

Sacrifício de Noé

KETHER
1

Isaías

BINAH
3

Sibila Eritreia

CHOKMAH
2

DAATH
11

Josias, Iechonias

GEBURAH
5

Zorobabel, Abiud

HESED
4

Dilúvio

TIFERETH
6

Sibila Délfica

HOD
8

Joel

NETZAH
7

Embriaguez de Noé

YESOD
9

Zacarias

MALKUTH
10

PILAR DA
SEVERIDADE

PILAR DA
SERENIDADE

PILAR DA
MISERICÓRDIA

133

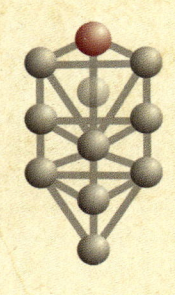

O sacrifício de Noé

4º Mundo

Sephira- Kether.

Atributo divino – Coroa, emanação divina, início da existência, o santo ser antigo, unidade indiferente, o absoluto.

Pilar – Central.

Cor – Branco, brilhante, violeta, o sopro de Deus, todos os elementos.

Chacra – Coronário.

Signo astrológico – Áries.

Letra do alfabeto hebraico – He ה Dalet ד

Este é um dos afrescos com maior número de símbolos a serem observados. Muito se discutiu a respeito da sequência das três cenas de Noé, afirmando-se que Michelangelo teria errado na cronologia, já que o sacrifício, feito em agradecimento ao fim do Dilúvio, devereia ser o último. Mas aqui podemos mostrar que a sequência das figuras segue outro esquema que não o cronológico.

Esta cena, que se localiza na *Sephira* Kether do Quarto Mundo, é a primeira a apresentar animais, deixando claro qual é a sua real representação no teto. O boi e o burro representam a natividade, e o cavalo e o elefante, a igreja e a sabedoria. Noé e sua nora, à esquerda, estão com as mãos direitas voltadas para cima, aparentando formar, assim, cada um a letra He. Essa letra se encontra no caminho entre Kether e Chokmah e tem como signo zodiacal Áries, ou carneiro, justamente o animal que está sacrificado. Esse caminho dirige a ascendência do espírito da sabedoria para a coroa divina e a fonte de Luz.

O *Livro da Formação* diz: "Ele coroou a letra He e criou com ela Áries no mundo, o Nissan no ano e a mão direita na alma. Ele coroou a letra Dalet e criou com ela o planeta Marte".

Outro aspecto a ser observado é o destaque para o chacra coronário do jovem que se abaixa para atiçar o fogo, no centro da cena. O fogo e a cor vermelha para as vestes de Noé, podem simbolizar a energia que preside o âmbito da terra, a Kundalini, que será equilibrada à medidade que se eleva.

REPRESENTAÇÃO DO INÍCIO DO QUARTO MUNDO

MESA COM QUATRO CANTOS REPRESEN-TANDO O ÂMBITO DA REALIDADE

Sibila Eritreia

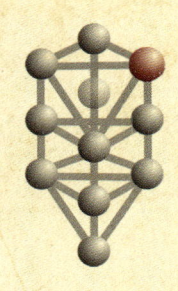

4º Mundo

Sephira- Chokmah.

Atributo divino — Sabedoria, inspiração, revelação, pensamento divino (interno, secreto e impossível de conhecer), intelecto interior.

Pilar — Direito.

Cor — Azul-escuro.

Chacra — Frantal.

Analogia/ camuflagem — Lemnis cata.

"Os *Oráculos Sibyllina*, coletânea judaico-cristã de oráculos, sentenças e provérbios apócrifos do século II ao VI, sustentam que a profetisa era nora de Noé e, para alguns estudiosos, ela está representada vestida de verde na figura da cena do *Sacrifício de Noé*." (69)

A Sibila está sentada de lado, concentrada, folheando um livro aberto, que é o símbolo da Ciência e da sabedoria adquiridas. Um anjo assopra (sopro de Deus) uma lâmpada votiva sobre sua cabeça. A lâmpada é o suporte da luz, e a luz é a manifestação da lâmpada. A unidade formada pelos dois objetos se assemelha à da concentração, gerando sabedoria. (70)

Há outro anjo logo atrás da Sibila, porém pouco visível. Sua face e toda a lateral direita de seu corpo aparecem mais

LEMNISCATA, SÍMBOLO DA PERFEIÇÃO

MESA COM QUATRO CANTOS REPRESENTA O ÂMBITO DA REALIDADE

iluminados. As referências são o chacra frontal e coronário iluminados pela lâmpada.

Como já vimos, a sabedoria é associada à figura feminina de Sophia, e aqui também temos a personagem com uma trança semelhante a uma "serpente", agora quase imperceptível na região posterior da cabeça da Sibila. A sabedoria de Chokmah está além da razão. Partindo para a intuição, o que coincide com a presença de uma sibila nesta *Sephira*.

De acordo com o livro *A Arte Secreta de Michelangelo*, o órgão camuflado é a laringe (71), e podemos lembrar que o chacra laríngeo se encontra no caminho entre Chokmah e Binah. Para outros autores, o chacra laríngeo estaria entre Hesed e Geburah.

Outra figura encontrada nesta cena é a lemniscata, símbolo da perfeição, que pode ser observada na união entre as tranças da cabeça da sibila e o pequeno prato da vela votiva.

137

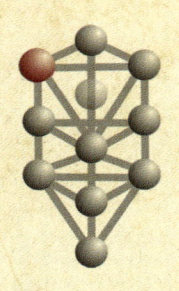

Isaías

4º Mundo

Sephira- Binah.

Atributo divino — Compreensão, inteligência, discernimento, insight.

Pilar — Esquerdo.

Cor — Azul-escuro.

Chacra — Frontal.

Analogia/ camuflagem — Articulação do cotovelo.

Signo astrológico — Capricórnio.

Letra do alfabeto hebraico — Bet, ב Ayin ע

Planeta — Saturno.

"Lembrem o que aconteceu no passado e reconheçam que só Eu sou Deus, que não há nenhum outro como Eu. Desde o princípio, anunciei as coisas do futuro, há muito tempo disse o que ia acontecer. Afirmei que o meu plano seria cumprido, que Eu faria tudo o que havia resolvido fazer." Isaías. 46: 9,10

Isaías, como os outros profetas, está sentado, e um querubim aparentemente lhe fala ao ouvido, enquanto aponta para algo. Mais ao fundo, há outro querubim. A porção mais iluminada da cena é o braço direito, parte do tronco e o joelho de Isaías. Sua mão esquerda está ligeiramente exagerada e parece estar dando forma à letra Bet do alfabeto hebraico. Essa letra se localiza no caminho entre Kether e Binah.

O livro fechado encerra em suas páginas a revelação das ciências profanas e dos mistérios sagrados. Somente será compreendido por

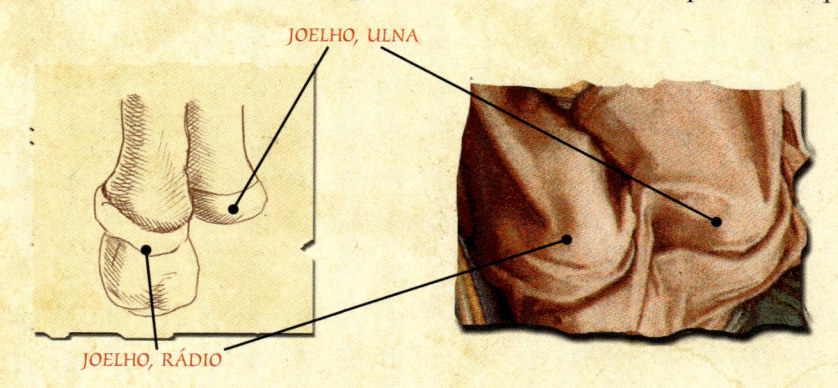

JOELHO, ULNA

JOELHO, RÁDIO

LETRA DO ALFABETO HEBRAICO BET

meio da sabedoria de Chokmah e da intuição. Já Binah é a inteligência racional. A Cabala fala-nos que não se pode deixar guiar apenas pela inteligência ou pela intuição, é no equilíbrio de ambas que devemos caminhar.

Penso que Isaías, na cena representando a inteligência racional, estaria dando passagem à sua sabedoria ou intuição, representada pelo querubim que lhe fala ao ouvido.

No *Livro da Formação* encontramos o seguinte texto: "Ele coroou a letra Bet na vida e com ela criou Saturno no mundo, o domingo no ano e o olho direito em Nefesh". Bet significa bênção e foi por meio dela que Saturno obteve sabedoria. A letra Ayin criou Capricórnio. Essas letras juntas permitem uma combinação muito energética e poderosa: formam os setenta e dois nomes de Deus que Moisés usou para dividir o Mar Vermelho.

A peça camuflada é a articulação do cotovelo (72), que está associada à próxima *Sephira*.

Com esta cena completamos a primeira tríade do Quarto Mundo, que compreende as *Sephiroth* Kether, Chokmah e Binah. Elas representam o processo de pensamento de Deus. Quando meditamos sobre essa tríade, descobrimos o caminho para permitir que a mente de Deus se manifeste por nosso intermédio e realize os objetivos de seu pensamento em nós. Leia agora novamente a profecia de Isaías.

Zorobabel, Abiud, Eliachin

4º Mundo

Sephira- Hesed.

Atributo divino – Compaixão, misericórdia, amor, carinho, graça, bondade amorosa.

Pilar – Direito.

Cor – Azul-claro, verde.

Chacra – Laríngeo, cardíaco.

Analogia/ camuflagem – Laringe.

Neste afresco, também sobre os antepassados de Cristo, a cena mostra uma família que transmite um sentimento de opressão. Na luneta logo abaixo, o homem à direita da cena, com uma criança que o olha fixamente, parece zangado com a mulher que está à sua direita, segurando uma criança no colo. No triângulo, ainda vemos um homem bem mais idoso que a mulher, aparentando "cochilar" sentado, e ao fundo, com muito pouca nitidez, outra criança. As áreas mais luminosas são o rosto, o peito, com uma faixa branca, a perna direita da mulher e a nuca, o quadril e o braço esquerdo da criança. A parte camuflada é uma costela. (73)

A *Sephira* Hesed atua diretamente na vida humana e nas maneiras como podemos manifestar amor e misericórdia em todas as

situações. Como já foi dito, o chacra laríngeo pode ser localizado entre Hesed e Geburah, e aqui também podemos encontrar uma laringe camuflada, como na imagem da sibila Eritreia.

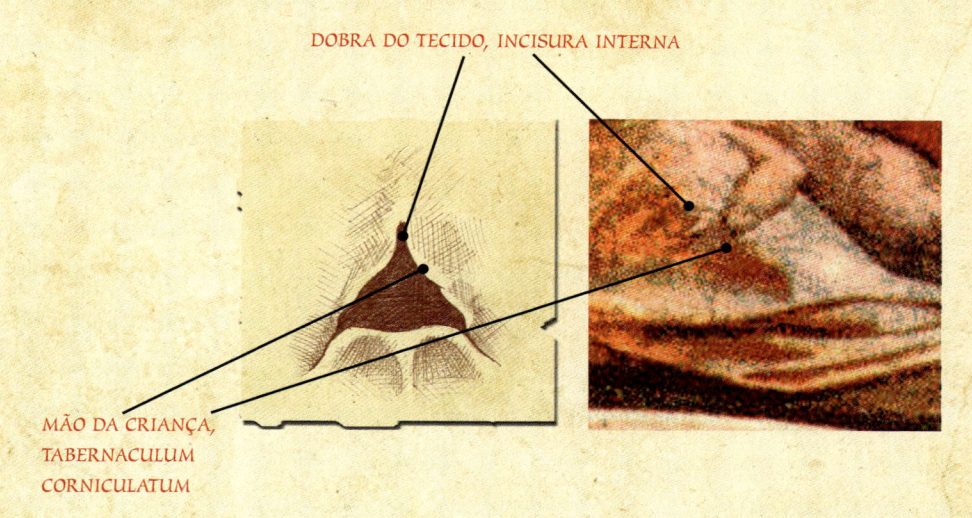

DOBRA DO TECIDO, INCISURA INTERNA

MÃO DA CRIANÇA, TABERNACULUM CORNICULATUM

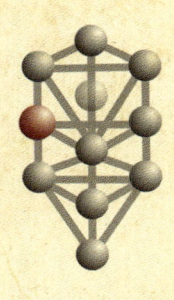

Josias, Iechonias, Salatiel

4º Mundo
Sephira- Geburah.
Atributo divino — Julga-
mento, justiça, poder, força,
severidade.
Pilar — Esquerdo.
Cor — Verde, azul-claro.
Chacra — Laríngeo, cardíaco.
Analogia/ camuflagem —
Articulação do fêmur.

Antes de começar a descrição desta cena, gostaria de ressaltar algumas semelhanças muito significativas entre ela e a cena de *Zorobabel, Abiud, Eliachim*.

Quando as observamos no teto, elas estão alinhadas com a cena do Dilúvio. Em ambas, nos triângulos, encontramos o homem com idade mais avançada que a mulher. A criança nua entre o casal. A mulher à esquerda e o homem à direita. Todos sentados no chão. E o que mais me causa curiosidade é o homem estar adormecido. No afresco do Dilúvio há uma mulher sentada à esquerda, com os seios expostos, que também aparenta estar dormindo.

Essas três cenas representam respectivamente Geburah, Hesed e Tiphereth, que formam a segunda Tríade da Árvore da Vida e representam o reino da alma.

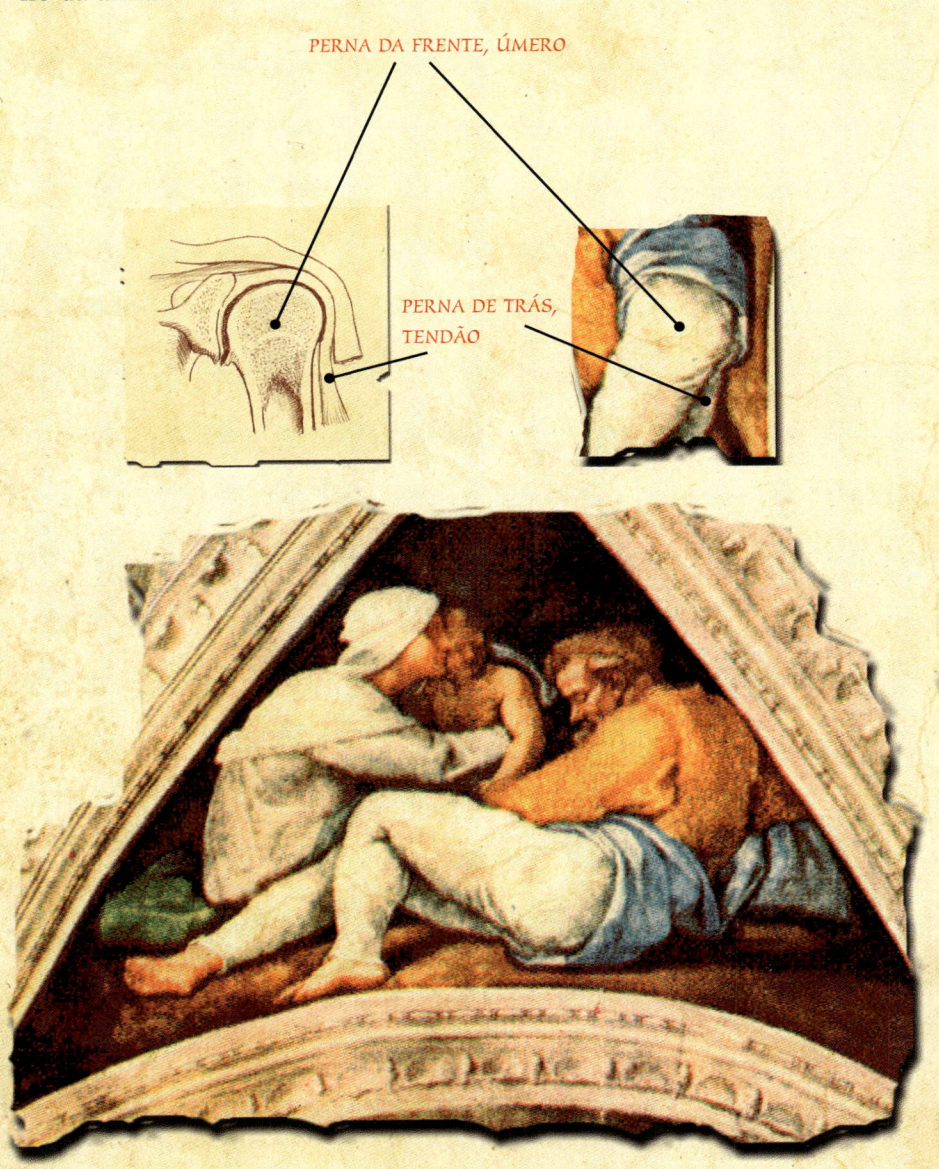

PERNA DA FRENTE, ÚMERO

PERNA DE TRÁS, TENDÃO

"O *Zohar* e outras obras cabalísticas descrevem a ascensão mística da alma para os reinos celestiais. Eles dizem que, enquanto o corpo está adormecido, a alma pode voar para academias celestiais, onde é guiada e aprende sobre os sublimes mistérios de Deus." (74)

Quanto às lunetas, elas também apresentam muitas semelhanças. No lado direito, está uma mulher que cuida de uma criança em seu colo com muito carinho e afeição, ao passo que o homem localizado à direita da cena trata a criança com indiferença. Pode-se dizer, com relação a esses afrescos, que eles simbolizem o equilíbrio que deva

haver entre o julgamento exagerado de Geburah e o amor incondicional de Hesed.

A camuflagem é da vértebra axis (75), localizada no pescoço, relacionada então ao chacra laríngeo (garganta), que, para alguns autores, também tem associação com esta *Sephira*. Acredito também que exista a camuflagem de uma articulação do ombro. Esta sim, fazendo uma melhor associação com esta *Sephira*.

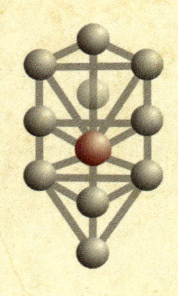

O Dilúvio

4º Mundo

Sephira- Tiphereth.

Atributo divino — Beleza, adorno, integridade, equilíbrio, Céu, Sol, rei, filho, mediador, ser santo e abençoado.

Pilar — Central.

Cor — Verde.

Chacra — Cardíaco.

Analogia/ camuflagem — Árvore brônquica, útero, gestação.

Signo astrológico — Escorpião.

Letra do alfabeto hebraico — Num ל Mem ם

Planeta — Sol.

Segundo Ascanio Condivi, esta foi a primeira cena pintada no teto da Sistina (76). O que faz sentido se pensarmos que ela é uma imagem associada ao nascimento (ou o Renascimento).

O Quarto Mundo representa a concretização da criação divina na Terra, o que não aconteceria sem o nascimento do Homem. Isso também justifica a grande quantidade de personagens presentes, muitas delas saindo das águas, lembram que todos nós temos a mesma origem por nascimento. Várias dessas personagens são mulheres e crianças, tendo como ponto em comum a nudez; todos nascemos nus, necessitando de auxílio e proteção. Mas são muitas as analogias que podemos fazer entre o parto e o Dilúvio. A começar pela própria água e o líquido amniótico; o Dilúvio durou quarenta dias e noites, bem como o período

ÁRVORE, ÁRVORE BRÔNQUICA

em que a mulher faz seu resguardo após o parto e, se pensarmos no número, podemos lembrar que a duração da gestação gira em torno de quarenta semanas.

Um dos destaques da cena é a figura de uma mulher envolta em um manto verde, com um bebê no colo e outro abraçado à sua perna. Sua silhueta se assemelha a um útero, com um feto. Outra mulher, também com um manto, e outra com os seios à mostra, estão no lado esquerdo da cena, em terra firme. A Terra é uma representação feminina,

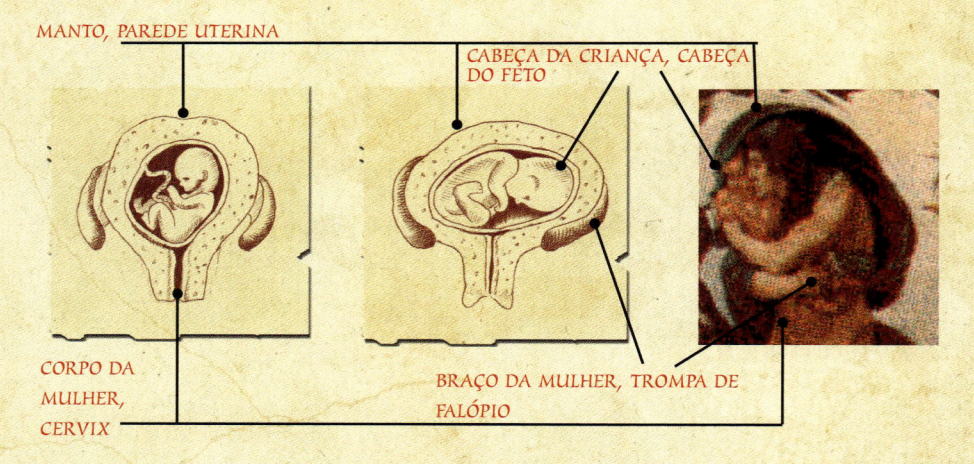

MANTO, PAREDE UTERINA

CABEÇA DA CRIANÇA, CABEÇA DO FETO

CORPO DA MULHER, CERVIX

BRAÇO DA MULHER, TROMPA DE FALÓPIO

a que alimenta, dá os frutos, os filhos. Também no lado esquerdo, no canto, não muito visível nesta reprodução do teto, está uma mulher vestida de vermelho, um senhor mais idoso com um bebê, envoltos por um manto branco, e um burro. Acredito que representem a Sagrada Família.

A pequena pomba branca no alto da arca de Noé, geralmente associada ao Espírito Santo, pode também representar o momento em que recebemos a vida e a esperança. Em *A Arte Secreta de Michelangelo*, a peça anatômica camuflada é a árvore brônquica, que tem relação com esta *Sephira*. Podemos então relacionar com a respiração, primeiro sinal de vida do recém-nascido, e ao mítico sopro da vida. E também com o sentido do olfato, o mais espiritualizado dos sentidos, que tem associação com o signo de Escorpião, e a letra Num do alfabeto hebraico, localizada no caminho entre Netzah e Tifereth. No mês que rege o signo de Escorpião, denominado Chesvan, não há dias festivos, somente a vida do dia-a-dia. Foi nele que ocorreu o Dilúvio.

A localização de Tiphereth no corpo humano é abaixo do coração e acima do plexo solar, a mesma região do corpo ocupado pelo bebê durante seu desenvolvimento. Outra letra associada a essa região é a letra Mem, que se encontra no caminho de Hod à Geburah. Essa letra representa o elemento Água, o ventre no corpo e o frio no tempo, mas também o número quarenta, o ritmo natural e o fluxo da vida.

Joel

4º Mundo

Sephira- Netzah.

Atributo divino — Eternidade, vitória, triunfo, resistência.

Pilar — Direito.

Cor — Amarelo.

Chacra — Plexo solar.

Letra do alfabeto hebraico — Kaf כ

"E acontecerá que, depois de eu derramar o meu Espírito sobre toda a carne, vossos filhos e filhas profetizarão, vossos velhos sonharão e vossos jovens terão visões; até sobre os servos e sobre as servas derramarei o meu Espírito naqueles dias. Mostrarei prodígios no céu e na terra; sangue, fogo e colunas de fumo. O sol se converterá em trevas, e a lua em sangue, antes que venha o grande e terrível dia do Senhor. E acontecerá que todo aquele que invocar o nome do Senhor será salvo; porque no Monte Sião e em Jerusalém estarão os que forem salvos, assim como o Senhor prometeu, e entre os sobreviventes aqueles que o Senhor chamar." Joel, 2: 28-32

Os dois querubins ao fundo estão segurando livros, sendo que o da direita aponta sua mão esquerda

MANTO VERMELHO / LETRA KAF

para o ouvido de Joel ou para o outro querubim. Um dos livros está fechado (conhecimento oculto) e o outro, aberto. Porém, o anjo ou querubim não o está lendo. O querubim que segura o livro fechado tem um cacho de cabelos na fronte bem pronunciado e já foi encontrado em outras cenas.

Joel apresenta-se lendo um pergaminho comprido, que está enrolado na mão direita. Sua perna direita está em evidência, o que coincide com Netzah: a *Sephira* que tem como atributo divino a vitória ou eternidade, traz como referência ao corpo humano justamente os membros inferiores.

Netzah, Hod (Esplendor/Glória) e Yesod (Fundação), unem-se para formar a terceira tríade da Árvore da Vida, que tem como atributo o domínio sobre a natureza. Como veremos mais adiante, Yesod, nos afrescos de Michelangelo, representa a morte do corpo físico por meio do pecado. Considero, portanto, a união dessas três *Sephiroth* como a vitória do homem sobre a morte e sua glória após o julgamento final.

Existe ainda nesta cena uma caixa de madeira que tem uma de suas faces em forma de triângulo retângulo, que é a representação do homem e, segundo Platão, também a representação da Terra. O triângulo equilátero simboliza a divindade, a harmonia, a proporção. Como toda geração se faz por divisão, o homem corresponde a um triângulo equilátero cortado em dois, ou seja, um triângulo retângulo.

Quando lembramos que estamos descrevendo o Quarto Mundo, dando significado à vida do homem na Terra, conseguimos entender todas essas associações.

A letra Kaf camuflada nas vestes de Joel significa palma da mão, que está no caminho entre Chesed e Netzah.

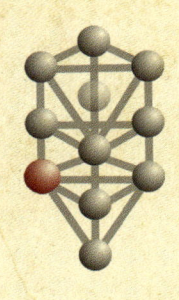

Sibila Délfica

4º Mundo

Sephira- Hod.

Atributo divino — Esplendor, glória, majestade.

Pilar — Esquerdo.

Cor — Amarelo.

Chacra — Plexo solar.

Analogia/ camuflagem — Perna esquerda em evidência.

Letra do alfabeto hebraico — Resh ר

Michelangelo retrata a sibila Délfica, Hod ou Esplendor, também com um pergaminho. Porém, ao contrário de Joel, ela o segura com a mão esquerda, e é esta também a perna em evidência. A região mais iluminada é a do plexo solar.

Seu olhar inquisidor e inteligente mira a direita, e pode-se imaginar que, seguindo uma linha imaginária do tempo, contempla Netzah, a eternidade. A sibila Délfica era famosa por ter informado a Édipo que ele estava fadado a matar seu pai e a desposar sua mãe. Ela também teria previsto como Cristo seria traído e entregue aos Seus inimigos, escarnecido por soldados e recebido uma coroa de espinhos. Todos esses temas são relacionados à morte.

Um dos querubins parece estar lendo o livro que está em suas mãos, enquanto o outro o observa. E, quando vistos bem de perto, parece que os dois têm o mesmo rosto, como uma imagem refletida. Isso remete à frase da fachada do Templo de Apolo, onde a sibila profetizava e dizia: "conhece-te a ti mesmo".

Na cena de Joel, os querubins estão com seus livros fechados, ou pelo menos não o estão lendo. Nesta cena, um deles lê, enquanto o outro apenas observa. E, por fim, na cena de Zacarias, Malkuth, eles leem o livro de Zacarias pelas suas costas.

E então me lembro de outra frase que pode se associar com estes detalhes: "A alma dorme na pedra, desperta nos animais e toma consciência no Homem".

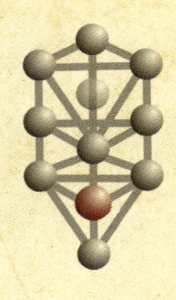

A embriaguez de Noé

4º Mundo

Sephira — Yesod.

Atributo divino — Fundação do Mundo, força procriadora da vida no Universo, ser justo.

Pilar — Central.

Cor — Laranja.

Chacra — Esplênico.

Analogia/camuflagem — Órgãos genitais, morte.

Signo astrológico — Sagitário.

Letra do alfabeto hebraico — Samech ס

Planeta — Lua.

Apesar de a cena se referir à embriaguez de Noé, acredito que Michelangelo tivesse como intenção representar a morte. Esta cena tem muitos detalhes semelhantes ao Dilúvio. À esquerda, Michelangelo representa Noé com uma pá, vestido de vermelho, preparando a terra para a plantação da vinha. A cor de suas vestes pode representar muitas ideias, como por exemplo, fogo ou sangue dos sacrifícios ritualísticos. Eu o vejo cavando a própria sepultura por meio do pecado da embriaguez. A terra ao mesmo tempo em que representa o feminino, aquela que dá o fruto, também simboliza a morte, aquela que nos recebe de volta ao pó. A pá que Noé utiliza também pode ser a representação da foice, símbolo da morte que iguala todas as coisas. (77)

A nudez de Noé o deixa envergonhado perante seus filhos. O interessante é que Michelangelo os representa em estado de total nudez também. Isso nos remete à cena do Dilúvio, em que as pessoas também estão nuas. Essa nudez nos mostra que a morte, como o nascimento, iguala e atinge a todos.

Na época de Michelangelo, cenas de nudez normalmente estavam associadas a pecadores sofrendo para eliminar seus pecados.

Os mantos dos filhos possuem respectivamente o azul-violáceo para o manto que está sobre o chacra frontal e coronário de Noé; verde na região do tórax de um dos filhos; vermelho para o que se estende por todo o corpo do terceiro filho. A posição em que esses mantos se apresentam forma a letra Samech, que se localiza no caminho entre Yesod e Tifereth. Representado pelo sono, é também denominado "Noite escura da alma". Quando dormimos, estamos mortos para a vida. Mas a interpretação não termina aqui.

Samech vem da expressão *Somech noflim* (suportando os caídos). No *Zohar*, o artigo chamado "a letra" do Rav Hamnuna Saba (ancião), diz que as letras hebraicas se apresentaram perante o Criador para pedir que o mundo fosse criado começando com elas. Quando a letra Samech se apresentou, Ele lhe disse para voltar a seu lugar, que é depois da letra Num, e ajudar Num a não cair. A letra Num criou o signo de Escorpião, quando ocorreu o Dilúvio (representação do nascimento que vem antes da embriaguez de Noé, na sequência dos afrescos), e após esse evento, Deus colocou o arco-íris no céu, como um sinal de que jamais ocorreria outro Dilúvio novamente. Portanto, essa também é outra interpretação para o colorido dos mantos dos filhos de Noé.

Sagitário em hebraico é chamado Keshet, ou arco-íris. No mês de Sagitário (Kislev), trabalhamos em correto relaxamento ou sono, e este é um dos signos regidos pelo elemento Fogo, representado nas vestes de Noé.

Próximo ao cotovelo de Noé, encontra-se uma jarra, que pode simbolizar a bebida da imortalidade, fonte de vida física e intelectual, uma espécie de volta às origens. O vinho representa a vida contemplativa, os grandes mistérios. O tonel evoca uma ideia de riqueza e alegria.

Yesod providencia a energia da criação e é o intermediário entre a Glória (Hod) e a Eternidade (Netzah). Não se alcança a eternidade sem a passagem pela morte. Por fim, Yesod é representado no corpo físico pelos órgãos genitais.

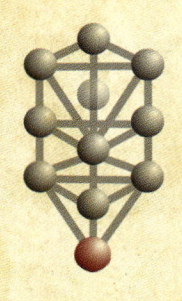

Zacarias

4º Mundo
Sephira — Malkuth, Shekinah.
Atributo divino — Reino, presença feminina de Deus, domínio ou poder de Deus no Mundo.
Pilar — Central.
Cor — Vermelho.
Chacra — Fundamental.
Analogia/ camuflagem — Coluna Vertebral.

"Assim diz o Senhor dos exércitos: ainda, nas praças de Jerusalém, sentar-se-ão velhos e velhas, levando cada um, na mão, o seu arrimo, por causa de sua muita idade. As praças da cidade encher-se-ão de meninos e meninas, que nelas brincarão." Zacarias, 8: 4-6

"Assim diz o Senhor dos exércitos: naquele dia sucederá que pegarão dez homens, de todas as línguas das nações, pegarão, sim, na orla da veste de um judeu, e lhe dirão: iremos convosco, porque temos ouvido que Deus está convosco." Zacarias 8: 23

Acima da porta de entrada e sobre o brasão da família Rovere, encontra-se Zacarias. Sua figura é vista de perfil, sentada em um trono de mármore, folheando um livro, com um de seus pés apoiado sobre uma caixa de madeira. Ao fundo,

TECIDO, LIGAMENTO SUPRA-ESPINAL

DOBRA DO TECIDO, LIGAMENTO

JOELHO, COLUNA VERTEBRAL

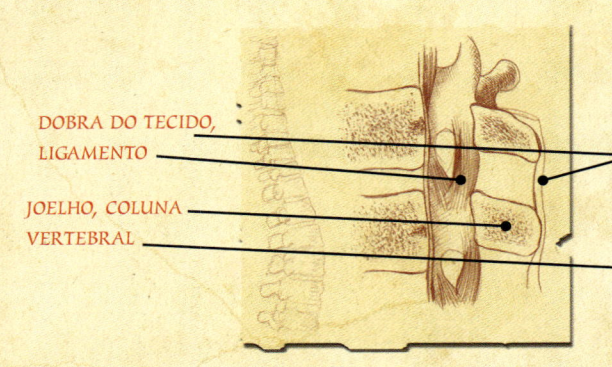
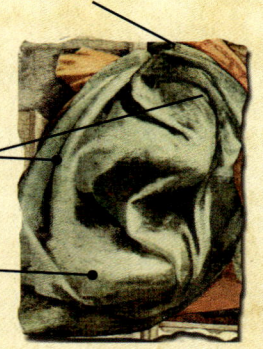

os dois anjos observam o mesmo livro que Zacarias. A luminosidade que vem da esquerda cai sobre a nuca e sobre as páginas do livro, deixando seu rosto na sombra.

A profecia complexa do livro de Zacarias foi interpretada como prefiguração do conjunto histórico da redenção. O local do profeta sobre a entrada da capela não reflete somente sua predição da entrada de Cristo em Jerusalém, mas é também o chamado para a conversão, com a humildade e submissão necessárias para se entrar no Reino de Deus. Ele prenunciou o nascimento de Israel, a Terra Prometida.

Zacarias foi escolhido por Michelangelo para representar a humanidade. Malkuth é o reino. É a *Sephira* que representa nossa vida diária, é a presença divina na Terra por meio da criação do Homem. Novamente, encontramos a caixa de madeira sob os pés do profeta. Neste afresco, ela pode representar a concretização da criação divina na Terra, já que encerra o sentido do sólido (material).

Para uma descrição mais didática e visual dos Quatro Mundos, acrescentaram-se cores às *Sephiroth* das Árvores da Vida, como no lado esquerdo da página 132. Essas cores foram o amarelo para o Primeiro Mundo, que foi descrito apenas pela cena de Jonas; o Segundo Mundo pela cor azul, por ser uma cor muito espiritual; o verde para o Terceiro Mundo, que representa mais as relações emocionais, e por fim o vermelho, por apresentar uma característica mais material. Coincidentemente ou não, as vestes de Zacarias apresentam essas quatro cores, reforçando assim a ideia de que em Malkuth, e mais apropriadamente no Quarto Mundo, ocorre essa interação entre todas as *Sephiroth*.

A iluminação na região da nuca, na qual se inicia a coluna vertebral (78), que é a parte do corpo relacionada com o chacra e a *Sephira* em questão, estão em perfeita concordância. Michelangelo homenageou o papa Júlio II fazendo da face de Zacarias um retrato de seu patrono. Mas essa homenagem também nos diz que o poder deste papa é temporal, sendo seu domínio o da matéria. Acima dele está todo o caminho a ser seguido para se retornar ao convívio com o Pai Eterno.

Encerramento

ncerro aqui as observações sobre o teto da Capela Sisti-na. Quero enfatizar que, no início das pesquisas, não se tinha a menor ideia do caminho que se iria trilhar. Tudo foi acontecendo em uma cadência inconsciente e sem que houvesse o desejo de se provar nada. Por esse motivo, considero este trabalho tão especial.

Acredito que, agora, os afrescos de Michelangelo passarão a ser mais valorizados ainda, por apresentarem essa riqueza espiritual, já tão venerada. Que elas possam inspirar a meditação de muitas pessoas, em todo o mundo, e facilitar a aproximação entre pensamentos, que somente superficialmente parecem discordantes.

Espero que o resultado seja uma contribuição para o melhor entendimento da obra de Michelangelo e do momento histórico em que viveu, bem como que ele estimule uma maior tolerância, harmonia e união entre nações, povos e religiões.

Glossário

ANALOGIA – ponto de semelhança entre coisas diferentes, similitude, parecença, semelhança entre figuras que só diferem quanto à escala.

Semelhança de função entre dois elementos, dentro de suas respectivas totalidades.

ANÁLOGO – semelhante, comparável, fundado em analogia. Diz-se especialmente de palavra, conceito ou atributo que se aplica, de modo nem totalmente diverso nem totalmente idêntico, a objetos essencialmente diferentes.

ARQUÉTIPO – modelo de seres criados. Padrão, exemplar, modelo, protótipo.

Segundo C. G. Jung, psicólogo e psicanalista suíço, imagens psíquicas do inconsciente coletivo, que são patrimônio comum a toda a humanidade. O paraíso perdido, o dragão, o círculo... são exemplos de arquétipos que se encontram nas diversas civilizações. Para os dias de hoje, eu utilizaria, como exemplo, os ícones dos computadores.

Dentro dessa área gostaria de citar um texto do livro Jornada Cabalística, que diz: "Sempre que enveredamos para a análise e o estudo de assuntos abstratos, percebemos a enorme limitação mental e intelectual que nos é característica. Diria até que compreendemos muitas ideias, mas faltam-nos recursos para racionalizá-las em palavras ou textos. Nesse momento, devemos procurar uma linguagem que acesse o campo abstrato das ideias para com isso passar a intuí-las, em vez de, inutilmente, tentar entendê-las.

Refiro-me à linguagem dos símbolos que acessam a mente sem necessidade de decodificação linguística, o que, portanto, desvincula parcialmente a ideia do intelecto e de sua tendência obsessiva à forma, à racionalidade e ao meio de comunicação utilizado."(79)

Dizem os sábios que, assim como a palavra é a linguagem da mente, os símbolos são as palavras da alma.

A Programação Neurolinguística nos dá uma excelente visão nesta área, e um livro muito interessante intitulado *Estudos de Iconologia*, mostra como esses modelos eram enfatizados na época de Miguelangelo, já que, para cada população ou época, eles tendem a se modificar um pouco, ou se dá mais ênfase a um que a outro.

AURA – parte do Campo de Energia Universal associada a determinados objetos ou, em outras palavras, à manifestação dessa Energia Universal. Intimamente envolvida na nossa vida, denomina-se Aura Humana quando associada ao homem. Pode ser descrita como um corpo luminoso que cerca o corpo físico e o penetra, emitindo sua radiação característica.

Estribados nas suas observações, os pesquisadores criaram modelos teóricos que dividem a aura em diversas camadas. Essas camadas, às vezes chamadas corpos, se interpenetram e cercam umas às outras em camadas sucessivas. Cada corpo compõe-se de substâncias mais finas e de vibrações mais altas à medida que se afasta do corpo físico.

AVERRÓIS – filósofo árabe. Sua interpretação da metafísica de Aristóteles, à luz do Alcorão, influenciou o pensamento judaico-cristão durante a Idade Média.

CABALA – a raiz dessa palavra em hebraico tem o significado de recebimento, tradição, revelação. É o ensinamento místico/esotérico do Judaísmo. Sua origem se perdeu no tempo; ninguém pode demonstrar quem foi seu autor ou seus primeiros mestres. Foi sugerido que o cativeiro dos judeus na Babilônia levou à formação dessa filosofia, como efeito da sabedoria caldeia agindo sobre a Tradição Judaica.

Não há dúvida de que, nos seus primeiros estágios o ensinamento era inteiramente oral, tendo vindo daí o nome QBLH, "receber" (80). Um dos tratados cabalísticos mais antigos, o *Sefer* Yetzirah (ou *Livro da Formação*) é atribuído ao patriarca Abraão. Esse trabalho traz um curioso esquema dos elementos, das estações do ano, dos homens e das 22 letras do alfabeto hebraico.

Estas foram divididas em uma tríade, um hepteto e um dodecádio. Três letras-mãe, A, M e SH, referiam-se aos elementos Ar, Água e Fogo; sete letras duplas referiam-se aos planetas e à sétupla divisão do tempo; as 12 letras simples referiam-se aos meses do ano, aos signos do zodíaco e aos órgãos humanos. (81) No século XV, um fato histórico, a expulsão dos judeus da Espanha e de Portugal, fez prosperar o

PILAR DA SEVERIDADE   PILAR DA SERENIDADE   PILAR DA MISERICÓRDIA

estudo da Cabala, notadamente, na cidade de Safed (Sfad), para onde emigrou a maior parte dos sábios da época. Fala-se aí da "idade do ouro de Safed", época em que se imprimiu um enorme desenvolvimento ao estudo, inclusive por cristãos. O estudo da Cabala pode ser dividido em duas tendências. (82) A primeira seria a Cabala dogmática ou teórica, que traz as concepções filosóficas que dizem respeito à Deidade, aos anjos e aos seres mais espirituais que os homens; à alma humana e seus diversos aspectos ou partes; sobre a preexistência, a reencarnação e os diversos mundos ou planos da existência. A segunda tendência seria a Cabala prática, que apresenta uma interpretação mística e alegórica do Velho Testamento, estudando cada frase, palavra e letra; ensina a conexão entre letras e números e os modos de sua inter-relação; a formação e os usos dos nomes Divinos e angelicais como amuletos, etc.

A Cabala divide o Universo em quatro mundos separados, mas inter-relacionados, que se manifestam quer no Mundo Divino quer na esfera humana. Os quatro mundos são: Atziluth, que significa proximidade ou emanação; Beriah, a Criação; Yetzirah, a Formação; e, Assiyah, a concretização. Observa-se aqui que a Cabala, também chamada de Doutrina da Emanação, prega a reencarnação da alma na matéria sucessivas vezes, até que esta, purificada pelo sofrimento, esteja preparada para retornar aos planos divinos. Filosofia que muito se assemelha à Budista, à Hindu, à Teosofia de Helena P. Blavatsky e outras que têm a reencarnação como base, mas que se diferenciam pela forma como o ensinamento é passado. Essas diferenças doutrinárias são extremamente importantes, pois cada uma delas traz em si a inspiração necessária para influenciar as mentes humanas no caminho de retorno ao paraíso. (83)

A Cabala explica a realidade por meio de um mapa ou diagrama chamado "Árvore da Vida", que é uma analogia à Árvore da Vida oferecida à humanidade no Jardim do Éden, como fonte de imortalidade e da luz de Deus. Ela é a base central da explicação para tudo. Supõe-se que foi descrita pela primeira vez na Espanha no século XII, por Moses de Leon, ou até antes, por meio de uma coletânea de textos de vários autores denominada *Zohar*, ou Livro do Esplendor.

Apresenta a Árvore da Vida como um modelo do Cosmos e da humanidade e tenta explicar a relação entre Deus, o Universo e a humanidade.

Ela é composta por dez *Sephiroth*, ou esferas, que são atributos divinos. Essas esferas são ligadas por caminhos, no total de 22, numerados com as letras do alfabeto hebraico. Os 22 caminhos mais as 10 *Sephiroth*, formam os 32 caminhos pelos quais a sabedoria desce em sucessivos estágios até o Homem e o habilita a subir novamente para as esferas superiores. Mas não nos esqueçamos de Daath – ou Conhecimento – que é a "não-*Sephira*": união de Chokmah e Binah (segunda e terceiras *Sephiroth* da Árvore da Vida) indica uma espécie de harmonização entre as duas e não é representada graficamente na Árvore.

Há muitas maneiras de se interpretar a Árvore da Vida, suas esferas ou *Sefhiroth*, e seus caminhos. Todas têm por objetivo elevar o Homem de sua condição atual para esferas mais superiores por um caminho de volta a Deus. De onde viemos e para onde iremos. A Árvore da Vida também funciona como um gabarito que pode ser colocado sobre qualquer organismo animal, humano ou social, revelando forças naturais em jogo. (84) Esquematicamente, a Árvore da Vida é assim descrita:

Para os cabalistas, não há como definir Deus. A mente humana não possui esta capacidade. Deus é a existência infinita; sempre existiu, mesmo antes de ter criado as emanações que deram origem ao mundo como o conhecemos. Antes da criação da humanidade, considera-se que havia um estado de passividade negativa, ou não ativa, denominada AIN (nada). Dessa condição, a mente humana passa a conceber Deus como ilimitado, indiferenciado, ilimitável, em que o passivo se pôs em atividade. O despertar de Deus, denominado Ein Sof, ou a causa de todas as causas, a raiz de todas as raízes. Poderíamos comparar Ein Sof com o Tao, ou caminho do Taoísmo, e com Brahman, no Hinduísmo.

As *Sephiroth* apresentam-se como criadas por Deus com a finalidade de serem estágios ou níveis anteriores à criação do mundo e com a função de emanação dos seus poderes ocultos em forma de raios de luz. Essa luminosidade forma inicialmente uma coroa, ou Kether –1 –, que seria a primeira *Sephira*, também denominada O Homem Celeste. Continuando em sua criação, vieram imediatamente mais duas emanações, que são representadas por mais duas *Sephiroth*, denominadas Chokmah – 2 –, ou Sabedoria, à direita; e Binah – 3 –, ou Compreensão, à esquerda, formando a Tríade Suprema, em forma de um triângulo com o vértice voltado para cima. Seguem-se a estas, Hesed – 4 –, ou Compaixão; e Geburah – 5 –, ou julgamento; e Tiphereth – 6 –, ou Beleza, formando um novo triângulo, agora com o vértice voltado para baixo.

Em seguida Netzah – 7 –, ou Vitória; Hod – 8 –, ou Esplendor; e, Yesod – 9 –, ou Fundação; formando o terceiro triângulo, também com o vértice para baixo. Por fim, Malkuth, o Reino ou Retidão, a décima *Sephira*.

Nas antigas representações de Adão, homem arquétipo, vemos Kether, em sua cabeça, Chokmah e Binah são as duas metades do cérebro pensante; Hesed e Geburah são os órgãos da ação, os membros superiores direito e esquerdo; Tiphereth é o coração e os órgãos vitais do peito; Netzah e Hod são os membros inferiores direito e esquerdo; Yesod refere-se aos aparelhos digestivo e reprodutivo e ao abdome; e finalmente Malkuth, comparado aos pés por ser a base ou as fundações de um homem sobre a terra. Esse homem primordial, feito à imagem e semelhança de Deus, é andrógino, e as forças masculinas e femininas estão em harmonia e equilíbrio.

Podemos aprender como acessar o poder das *Sephiroth* analisando a Árvore da Vida de várias formas. Uma delas seria agrupando as *Sephiroth* em três colunas. Do lado direito, teríamos uma coluna denominada Pilar da Misericórdia, que apresenta aspectos de polaridade masculina, positiva, expansiva, *Yang,* e corresponderia às *Sephiroth*: Chokmah, Hesed e Netzah.

Outra coluna, agora do lado esquerdo, teria aspectos mais femininos e negativos, restrição, *Yin,* e agrupa as *Sephiroth*: Binah, Geburah, e Hod e é denominada Pilar do Julgamento ou Severidade. A coluna central corresponderia às *Sephiroth* Kether, Tiphereth, Yesod e Malkuth. Esta é denominada de Pilar da compaixão, Serenidade ou do Equilíbrio das duas polaridades.

Podemos também estudá-la em planos, unindo as três primeiras *Sephiroth*, Kether, Chokmah e Binah, uma tríade que representa o reino do intelecto. A segunda Tríade representada por Hesed, Geburah e Tiphereth representa a perfeição ética e o poder moral de Deus, o reino da alma A terceira Tríade – Netzah, Hod e Yesod – representam o governo e direção do mundo e a natureza.

CONFUCIONISMO – "Não faça aos outros o que não gostaria que fizessem a você". Esse popular conceito filosófico vem sendo repetido desde cerca de 500 anos antes de Cristo, quando foi expresso por Kung-Fu-Tse ou Venerável Mestre Kung. Seu nome latinizado é Confúcio, e Confucionismo é como ficou conhecida a corrente filosófica por ele difundida, que é considerada como a filosofia chinesa da organização social, do senso comum e do conhecimento prático, que fornecia à sociedade chinesa um sistema de educação e as convenções estritas do comportamento social. Um de seus objetivos básicos era estabelecer uma base ética para o sistema familiar tradicional, com sua estrutura complexa e seus rituais de adoração dos ancestrais. Confúcio considerava sua função básica a transmissão da antiga herança cultural a seus discípulos. Assim fazendo, ultrapassou, contudo, os limites de uma simples transmissão de conhecimentos, pois interpretou as ideias tradicionais em consonância com seus próprios conceitos morais (85).

CHACRA – palavra de origem sânscrita que significa "roda de luz" (do mesmo modo que falamos da roda do destino ou da roda da fortuna, assim também os budistas falam da roda da vida e da morte) e designa os centros de força presentes no duplo etérico do Homem. São pontos de conexão pelos quais flui a energia vital em nosso

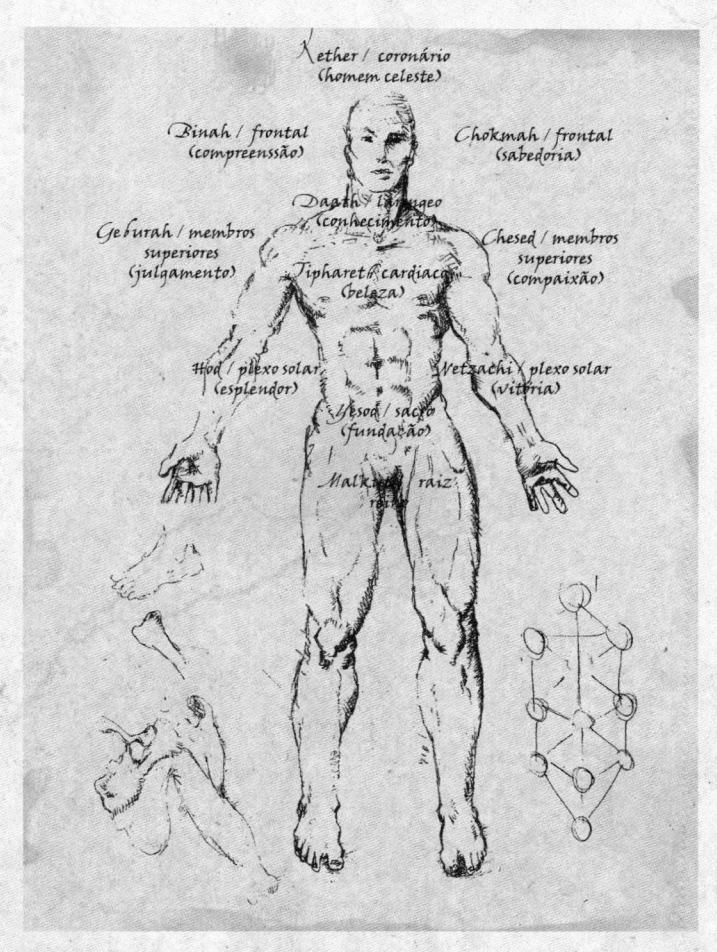

corpo. Quem quer que possua certo grau de clarividência, pode vê-los facilmente no duplo etérico, em cuja superfície aparece sob forma de vórtices de luminosidade colorida, girando incessantemente.

Ao todo, existem milhares de chacras espalhados pelo corpo, mas os principais são os sete que se alinham com a coluna vertebral, de onde partem em direção ao exterior: muladhara (básico), swadhisthana (sexual), manipura (plexo solar), anahata (cardíaco), vishuddha (larngico), ajna chacra ("terceira olho") e sahasrara (coronário). Possuem coloração característica, mas esta varia de um indivíduo para outro, dependendo do estado de saúde mental, físico e espiritual.

Pelos chacras penetram variados tipos de energia, sendo três principais: a primária, a vitalidade e a Kundalini. Essas energias sobem pela coluna espinal, por intermédio de três condutos, e vão ativando os centros de força. Por meio de técnicas especiais, esses centros de força podem ser mais ou menos ativos, diferenciando-se um dos outros no mesmo indivíduo, e de um indivíduo para outro. (86) Apesar de estarem na superfície do duplo etérico (corpo semimaterial), podemos dizer que os chacras se correspondem com determinados órgãos físicos (especialmente a glândulas). Ainda que a boca em forma de sino do chacra esteja na superfície do corpo etérico, o talo dessa espécie de flor surge de um centro ou gânglio da coluna vertebral. A esses centros, e não à corola ou boca em forma de sino, se referem os livros hindus ao falarem dos chacras. (87) Todas essas rodas giram incessantemente, e pelo cubo ou boca aberta de cada uma delas flui continuadamente a energia do mundo superior, a manifestação da corrente vital. Os chacras principais são sete e estão demonstrados na figura da página anterior.

CHI – energia vital constitutiva do Mundo. Tem como energia propulsora a interação dos aspectos complementares *Yin-Yang*. Fio que tudo une.

DUPLO ETÉRICO – primeira camada da aura. Parte invisível do corpo físico, semimaterial, de suma importância porque é o veículo pelo qual fluem as correntes vitais de energia que mantém vivo o corpo. Também serve para transferir as ondulações do pensamento e a emoção do corpo astral ao corpo físico. (88)

INCONSCIENTE COLETIVO – parte do consciente individual que procede da experiência ancestral e transparece em certos símbolos encontrados nas lendas e mitologias antigas, constituindo os arquétipos.

MAYA – segundo a filosofia Budista, são conceitos intelectuais desprovidos da realidade, isto é, ilusão.

METAFÍSICA – Ciência do ser como ser; pesquisa e estudo dos primeiros princípios e das causas primeiras, conhecimento racional das realidades transcendentes e das coisas em si mesmas, independentemente da experiência. Obra de Aristóteles, escrita depois de Física. Deus é ali concebido como a causa primeira do movimento dos seres e da Natureza.

PAPA SISTO IV – assumiu o papado entre 1471 e 1484. De batismo, seu nome era Francisco della Rovere. De origem humilde, apropriou-se de um brasão de uma família homônima, porém de sangue azul, de Turim. O brasão era formado por uma imagem de um carvalho (rovere), com 12 bolotas, uma figura que muito se assemelha à Árvore da Vida, um dos símbolos mais importantes da cultura judaica.

PAPA JÚLIO II – papa de 1503 a 1513, era sobrinho de Sisto IV e alterou o nome da Capela em sua homenagem. Foi ele também que colocou a primeira pedra da Basílica de São Pedro e encomendou a Michelangelo o afresco do teto da Capela Sistina. Era conhecido por seu temperamento egocêntrico, irascível e impulsivo e por sua forma de conduzir o papado, mais como um estrategista militar do que como um líder religioso.

PARADIGMA – modelo, padrão.

PENSAMENTO CHINÊS – formado principalmente por dois polos diversos de pensamentos: o Taoísmo e o Confucionismo. Na China, entretanto, sempre foram considerados polos de uma única natureza humana, portanto, complementares. O Confucionismo era geralmente destacado quando se tratava da educação das crianças, que tinham de aprender as regras e convenções necessárias à vida em sociedade, ao passo que o Taoísmo costumava ser seguido por indivíduos mais idosos, empenhados em obter e desenvolver novamente a espontaneidade original destruída pelas convenções sociais. Nos séculos XI e XII, a escola neoconfucionista tentou promover uma síntese do Confucionismo, do Taoísmo e do Budismo. Essa tentativa culminou na filósofia de Chu Hsi, um dos maiores pensadores chineses. Chu Hsi foi um filosofo notável, que combinou a sabedoria confucionista com uma profunda compreensão do Budismo e do Taoísmo, incorporando elementos de todas essas três tradições em sua síntese filosófica. Os chineses, à semelhança dos indianos, acreditavam na existência de uma realidade última que é subjacente e unifica todas as coisas e fatos que observamos.

Existem três termos: o completo, o abrangente e o todo. Esses nomes são diferentes, mas a realidade que se procura neles é a mesma, refere-se à coisa única. Essa realidade é denominada Tao, palavra que, originalmente, significa "o caminho". É o equivalente do Brahman hinduísta e do Dharmakaya budista.

A característica principal do Tao é a natureza cíclica de seu movimento e mudança incessante. Segundo essa ideia, todos os desenvolvimentos ocorridos na Natureza, quer no mundo físico, quer nas situações humanas, apresentam padrões cíclicos de ida e vinda, de expansão e contração.

Os chineses creem que sempre que uma situação se desenvolve até atingir seu ponto extremo, é compelida a voltar e se tornar o seu oposto. Essa crença básica lhes dá coragem e perseverança em tempos de dificuldade, enquanto os torna cautelosos e modestos em tempos de sucesso. Ela os levou a doutrina do meio-termo.

A ideia de padrões cíclicos no movimento do Tao recebeu uma estrutura precisa com a introdução dos opostos *Yin-Yang*. São eles que estabelecem os limites para os ciclos de mudança.

Desde os primeiros tempos, esses dois polos arquetípicos foram representados não apenas pelo claro e pelo escuro, mas, igualmente, pelo masculino e pelo feminino, pelo inflexível e pelo dócil, pelo acima e pelo abaixo. *Yang*, o forte, o masculino, o poder criador, era associado ao céu, ao passo que *Yin*, o escuro, o receptivo, o feminino, o maternal, era representado pela terra.

Esse diagrama apresenta uma disposição simétrica do *Yin* sombrio e do *Yang* claro, a simetria, contudo, não é estática. É uma simetria rotacional que sugere, de forma eloquente, um contínuo movimento cíclico. (89)

SIBILA (Pítia) – nome dado às lendárias profetisas, que têm o dom da profecia. As sibilas de Delfos (ou Délfica), de Eritreia e de Cumes (ou Cumeia) foram as mais reputadas da Antiguidade. Dava-se o nome de Pítia – relativo à serpente píton – à sibila que, sentada sobre a trípode, profetizava em Delfos, em nome de Apolo. Ela tinha de ser virgem ou, pelo menos, a partir de sua nomeação, viver absolutamente casta e só, como esposa de Deus. A sibila representa o ser humano elevado a uma condição transnatural, que lhe permite se comunicar com o Divino e transmitir as Suas mensagens. As sibilas foram consideradas como emanações da sabedoria divina; e esse título seria um símbolo da revelação. Por isso, não se deixou de ligar o número das 12 sibilas ao dos 12 apóstolos e de pintar e esculpir suas efígies nas igrejas, como fez Michelangelo.

TAO – é o processo cósmico no qual se acham envolvidas todas as coisas, o mundo é visto como um fluxo contínuo, uma mudança contínua.

TAOÍSMO – filosofia chinesa voltada primariamente para a observação da Natureza e a descoberta do Caminho, ou Tao. A felicidade humana, segundo os taoístas, é alcançada quando os homens seguem a ordem natural, agindo espontaneamente e confiando em seu próprio conhecimento intuitivo. O Taoísmo nasce com Lao-Tsé, cujo nome significa, literalmente, o velho mestre. Diz-se ter ele sido o autor de um pequeno livro de aforismos que é considerado o principal texto taoísta, denominado no ocidente de *Tao Te Ching*. O segundo livro taoísta mais importante é o *Chuang Tsé*, obra que tem o mesmo nome do autor. (90)

ZOHAR: Também chamado de "O Livro do Esplendor", é composto por textos de autores diversos, escritos ao longo do tempo em pergaminhos e cuidadosamente enrolados. Inspirado pelas palavras sagradas da *Torah*, a *Bíblia* judaica.

Bibliografia

(01) BARRETO, Gilson & OLIVEIRA, Marcelo G. de. *A arte secreta de Michelangelo – Uma lição de Anatomia na Capela Sistina*. São Paulo: Editora Arx, 2004.

(02) BARRETO, Gilson & OLIVEIRA, Marcelo G. de. *A arte secreta de Michelangelo – Uma lição de Anatomia na Capela Sistina*. São Paulo: Editora Arx, 2004.

(03) BARRETO, Gilson & OLIVEIRA, Marcelo G. de. *A arte secreta de Michelangelo – Uma lição de Anatomia na Capela Sistina*. São Paulo: Editora Arx, 2004.

(04) KING, Ross. *Michelangelo e o teto do papa*. Rio de Janeiro: Editora Record, 2002.

(05) MICHELANGELO. *Poemas*. Rio de Janeiro: Editora Imago, 1994.

(06) KING, Ross. *Michelangelo e o teto do papa*. Rio de Janeiro: Editora Record, 2002.

(07) CONDIVI, Ascanio. *The life of Michelangelo*. Philadelphia: Pennsylvania State University Press, 1999.

(08) KING, Ross. *Michelangelo e o teto do papa*. Rio de Janeiro: Editora Record, 2002.

(09) KING, Ross. *Michelangelo e o teto do papa*. Rio de Janeiro: Editora Record, 2002.

(10) COPENHAVER, Brian. "Giovanni Pico della Mirandola", *Stanford Encyclopedia of Philosophy*, on line, 2008.

(11) BURCKHARDT, Jacob. *A cultura do Renascimento na Itália*. São Paulo: Companhia das Letras, 1991.

(12) BURCKHARDT, Jacob. *A cultura do Renascimento na Itália*. São Paulo: Companhia das Letras, 1991.

(13) COPENHAVER, Brian. "Giovanni Pico della Mirandola", *Stanford Encyclopedia of Philosophy*, on line, 2008.

(14) HAUSER, Arnold. *História social da Arte e da Literatura*. São Paulo: Editora Martins Fontes, 1995.

(15) MICHELANGELO. *Poemas*. Rio de Janeiro: Editora Imago, 1994.

(16) HAUSER, Arnold. *História social da Arte e da Literatura*. São Paulo: Editora Martins Fontes, 1995.

(17) MICHELANGELO. *Poemas*. Rio de Janeiro: Editora Imago, 1994.

(18) BONFILL, Robert. *Jewish life in Renaissance Italy*. Los Angeles: University of California Press, 1994.

(19) POLIAKOV, Leon. *De Maomé aos Marranos*. São Paulo: Editora Perspectiva, 1996.

(20) HARTT, Frederick. *Michelangelo*. New York: Harry N. Abrams Inc. Publishers, 1984.

(21) WESTCOTT, William Wynn. *Uma introdução ao estudo da Cabala*. São Paulo: Madras Editora, 2003.

(22) KING, Ross. *Michelangelo e o teto do papa*. Rio de Janeiro: Editora Record, 2002.

(23) CONDIVI, Ascanio. *The life of Michelangelo*. Philadelphia: Pennsylvania State University Press, 1999.

(24) KING, Ross. *Michelangelo e o teto do papa*. Rio de Janeiro: Editora Record, 2002.

(25) COPENHAVER, Brian. "Giovanni Pico della Mirandola", *Stanford Encyclopedia of Philosophy*, on line, 2008.

(26) BARRETO, Gilson & OLIVEIRA, Marcelo G. de. *A arte secreta de Michelangelo – Uma lição de Anatomia na Capela Sistina*. São Paulo: Editora Arx, 2004.

(27) PANOFSKY, Erwin. *Estudos de Iconologia*. Lisbia: Editorial Estampa, 1982.

(28) VASARI, Giorgio. *Vida de Miguel Angel*. Madri: Visor Libros, 1998.

(29) VASARI, Giorgio. *Vida de Miguel Angel*. Madri: Visor Libros, 1998.

(30) CHEVALIER, Jean & GHEERBRANT, Alain. *Dicionário de Símbolos*. 20ª edição. Rio de Janeiro: Editora José Olympio, 1982.

(31) CHEVALIER, Jean & GHEERBRANT, Alain. *Dicionário de Símbolos*. 20ª edição. Rio de Janeiro: Editora José Olympio, 1982.

(32) CHEVALIER, Jean & GHEERBRANT, Alain. *Dicionário de Símbolos*. 20ª edição. Rio de Janeiro: Editora José Olympio, 1982.

(33) LEVI, Eliphas. *Dogmas e rituais de alta magia*. 7ª edição. São Paulo: Editora Pensamento, 1955.

(34) PROPHET, Elizabeth Clare. *Cabala – O caminho da sabedoria*. Rio de Janeiro: Editora Nova Era, 2004.

(35) BARRETO, Gilson & OLIVEIRA, Marcelo G. de. *A arte secreta de Michelangelo – Uma lição de Anatomia na Capela Sistina*. São Paulo: Editora Arx, 2004.

(36) VASARI, Giorgio. *Vida de Miguel Angel*. Madri: Visor Libros, 1998.

(37) BARRETO, Gilson & OLIVEIRA, Marcelo G. de. *A arte secreta de Michelangelo – Uma lição de Anatomia na Capela Sistina*. São Paulo: Editora Arx, 2004.

(38) BERENSON-PERKINS, Janet. *A Cabala explicada*. London:Quarto Publishing, 2002.

(39) BERENSON-PERKINS, Janet. *A Cabala explicada*. London: Quarto Publishing, 2002.

(40) BERENSON-PERKINS, Janet. *A Cabala explicada*. London: Quarto Publishing, 2002.

(41) CASTRO, José Arnaldo de. *Jornada Cabalística – A Cabala passo a passo*. São Paulo: Madras Editora, 2005.

(42) BARRETO, Gilson & OLIVEIRA, Marcelo G. de. *A arte secreta de Michelangelo – Uma lição de Anatomia na Capela Sistina*. São Paulo: Editora Arx, 2004.

(43) BARRETO, Gilson & OLIVEIRA, Marcelo G. de. *A arte secreta de Michelangelo – Uma lição de Anatomia na Capela Sistina*. São Paulo: Editora Arx, 2004.

(44) BERENSON-PERKINS, Janet. *A Cabala explicada*. London: Quarto Publishing, 2002.

(45) BARRETO, Gilson & OLIVEIRA, Marcelo G. de. *A arte secreta de Michelangelo – Uma lição de Anatomia na Capela Sistina*. São Paulo: Editora Arx, 2004.

(46) BERENSON-PERKINS, Janet. *A Cabala explicada*. London: Quarto Publishing, 2002.

(47) BERENSON-PERKINS, Janet. *A Cabala explicada*. Livros e Livros, 2002.

(48) BARRETO, Gilson & OLIVEIRA, Marcelo G. de. *A arte secreta de Michelangelo – Uma lição de Anatomia na Capela Sistina*. São Paulo: Editora Arx, 2004.

(49) PROPHET, Elizabeth Clare. *Cabala – O caminho da sabedoria*. Rio de Janeiro: Editora Nova Era, 2004.

(50) BERENSON-PERKINS, Janet. *A Cabala explicada*. London: Quarto Publishing, 2002.

(51) BERENSON-PERKINS, Janet. *A Cabala explicada*. London: Quarto Publishing, 2002.

(52) BARRETO, Gilson & OLIVEIRA, Marcelo G. de. *A arte secreta de Michelangelo – Uma lição de Anatomia na Capela Sistina*. São Paulo: Editora Arx, 2004.

(53) BERENSON-PERKINS, Janet. *A Cabala explicada*. London:Quarto Publishing, 2002.

(54) BARRETO, Gilson & OLIVEIRA, Marcelo G. de. *A arte secreta de Michelangelo – Uma lição de Anatomia na Capela Sistina*. São Paulo: Editora Arx, 2004.

(55) BERENSON-PERKINS, Janet. *A Cabala explicada*. London:Quarto Publishing, 2002.

(56) BARRETO, Gilson & OLIVEIRA, Marcelo G. de. *A arte secreta de Michelangelo – Uma lição de Anatomia na Capela Sistina*. São Paulo: Editora Arx, 2004.

(57) KING, Ross. *Michelangelo e o teto do papa*. Rio de Janeiro: Editora Record, 2002.

(58) BERENSON-PERKINS, Janet. *A Cabala explicada*. London: Quarto Publishing, 2002.

(59) BERENSON-PERKINS, Janet. *A Cabala explicada*. London: Quarto Publishing, 2002.

(60) BERENSON-PERKINS, Janet. *A Cabala explicada*. London: Quarto Publishing, 2002.

(61) BARRETO, Gilson & OLIVEIRA, Marcelo G. de. *A arte secreta de Michelangelo – Uma lição de Anatomia na Capela Sistina*. São Paulo: Editora Arx, 2004.

(62) BARRETO, Gilson & OLIVEIRA, Marcelo G. de. *A arte secreta de Michelangelo – Uma lição de Anatomia na Capela Sistina*. São Paulo: Editora Arx, 2004.

(63) BARRETO, Gilson & OLIVEIRA, Marcelo G. de. *A arte secreta de Michelangelo – Uma lição de Anatomia na Capela Sistina*. São Paulo: Editora Arx, 2004.

(64) KING, Ross. *Michelangelo e o teto do papa*. Rio de Janeiro: Editora Record, 2002.

(65) BARRETO, Gilson & OLIVEIRA, Marcelo G. de. *A arte secreta de Michelangelo – Uma lição de Anatomia na Capela Sistina*. São Paulo: Editora Arx, 2004.

(66) BERENSON-PERKINS, Janet. *A Cabala explicada*. London:Quarto Publishing, 2002.

(67) BERENSON-PERKINS, Janet. *A Cabala explicada*. London:Quarto Publishing, 2002.

(68) CHEVALIER, Jean & GHEERBRANT, Alain. *Dicionário de Símbolos*. 20ª edição. Rio de Janeiro: Editora José Olympio, 1982.

(69) BARRETO, Gilson & OLIVEIRA, Marcelo G. de. *A arte secreta de Michelangelo – Uma lição de Anatomia na Capela Sistina*. São Paulo: Editora Arx, 2004.

(70) CHEVALIER, Jean & GHEERBRANT, Alain. *Dicionário de Símbolos*. 20ª edição. Rio de Janeiro: Editora José Olympio, 1982.

(71) BARRETO, Gilson & OLIVEIRA, Marcelo G. de. *A arte secreta de Michelangelo – Uma lição de Anatomia na Capela Sistina*. São Paulo: Editora Arx, 2004.

(72) BARRETO, Gilson & OLIVEIRA, Marcelo G. de. *A arte secreta de Michelangelo – Uma lição de Anatomia na Capela Sistina*. São Paulo: Editora Arx, 2004.

(73) BARRETO, Gilson & OLIVEIRA, Marcelo G. de. *A arte secreta de Michelangelo – Uma lição de Anatomia na Capela Sistina*. São Paulo: Editora Arx, 2004.

(74) PROPHET, Elizabeth Clare. *Cabala – O caminho da sabedoria*. Rio de Janeiro: Editora Nova Era, 2004.

(75) BARRETO, Gilson & OLIVEIRA, Marcelo G. de. *A arte secreta de Michelangelo – Uma lição de Anatomia na Capela Sistina*. São Paulo: Editora Arx, 2004.

(76) CONDIVI, Ascanio. *The life of Michelangelo*. Philadelphia: Pennsylvania State University Press, 1999.

(77) CHEVALIER, Jean & GHEERBRANT, Alain. *Dicionário de Símbolos*. 20ª edição. Rio de Janeiro: Editora José Olympio, 1982.

(78) BARRETO, Gilson & OLIVEIRA, Marcelo G. de. *A arte secreta de Michelangelo – Uma lição de Anatomia na Capela Sistina*. São Paulo: Editora Arx, 2004.

(79) CASTRO, José Arnaldo de. *Jornada Cabalística – A Cabala passo a passo*. São Paulo: Madras Editora, 2005.

(80) WESTCOTT, William Wynn. *Uma introdução ao estudo da Cabala*. São Paulo: Madras Editora, 2003.

(81) WESTCOTT, William Wynn. *Uma introdução ao estudo da Cabala*. São Paulo: Madras Editora, 2003.

(82) WESTCOTT, William Wynn. *Uma introdução ao estudo da Cabala*. São Paulo: Madras Editora, 2003.

(83) BLAVATSKY, Helena P. *Síntese da Doutrina Secreta*. São Paulo: Editora Pensamento, 1978.

(84) CASTRO, José Arnaldo de. *Jornada Cabalística – A Cabala passo a passo*. São Paulo: Madras Editora, 2005.

(85) CAPRA, Fritjof. *O Tao da Física*. São Paulo: Editora Cultrix, 1999.

(86) LEADBEATER, C.W. *Os Chacras*. São Paulo: Editora Pensamento, 1980.

(87) LEADBEATER, C.W. *Os Chacras*. São Paulo: Editora Pensamento, 1980.

(88) LEADBEATER, C.W. *Os Chacras*. São Paulo: Editora Pensamento, 1980.

(89) CAPRA, Fritjof. *O Tao da Física*. São Paulo: Editora Cultrix, 1999.

(90) CAPRA, Fritjof. *O Tao da Física*. São Paulo: Editora Cultrix, 1999.

Também foram usados para consulta:

ANGEL, Miguel. *Os grandes pintores*. Madrid: F&G Editores, 1997. DVD.

BARROSO JR., Paulo. *I Ching – A mais bela aventura criativa da humanidade*. São Paulo: Madras Editora, s.d.

BON, Gustave Le. *La Vie Physiologie Humaine*. Paris: . Rothschild, 1874.

FERREIRA, Aurélio Buarque de Hollanda. *Novo dicionário Aurélio da língua portuguesa*. 2ª edição. Rio de Janeiro: Nova Fronteira, 1986.

GAMBÁ, Claudio. *Michelangelo*. Milano: Rizzoli Libri Illustrari, 2004.

KIEFT, Kathleen Vande. *A fonte interior*. São Paulo: Best Seller, 1988.

NERET, Gilles. *Miguel Angelo*. Hohenzollernring: Editora Taschen, 2005.

OZANIEC, Naomi. *O livro básico dos chacras*. São Paulo: Editora Pensamento, 2004.

SCHULTZE, O. & LECENE, P. *Atlas d'Anatomie Topographique*, Paris: J. B. Bailliere & Fils, 1905.

WILHELM, Richard. *I Ching – O livro das mutações*. São Paulo: Editora Pensamento, 1997.

WOLF-HEIDEGGER, G. *Atlas da Anatomia humana*. 3ª edição. Rio de Janeiro: Editora Guanabara Koogan, 1978.

Contatos com a autora:
www.capelasistina.com.br

Nota do Editor

A Madras Editora não participa, endossa ou tem qualquer autoridade ou responsabilidade no que diz respeito a transações particulares de negócio entre o autor e o público.

Quaisquer referências de internet contidas neste trabalho são as atuais, no momento de sua publicação, mas o editor não pode garantir que a localização específica será mantida.

Leitura Recomendada

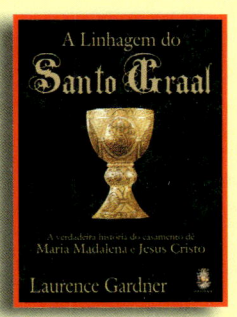

A LINHAGEM DO SANTO GRAAL

A verdadeira história do casamento de Maria Madalena e Jesus Cristo

Laurence Gardner

No decorrer das páginas desse livro, são desvelados os mistérios da origem histórica e do ambiente de Jesus, para que sejam compreendidos os fatos de seu casamento e sua paternidade. Esse relato extraordinário da linhagem messiânica é baseado em arquivos suprimidos e da realeza.

O LEGADO DE MADALENA

Conspiração da Linhagem de Jesus e Maria — Revelações sobre o *Código Da Vinci*

Laurence Gardner

Prostituta arrependida? Ou uma mulher cuja verdadeira identidade poderia fazer ruir os alicerces do Cristianismo?

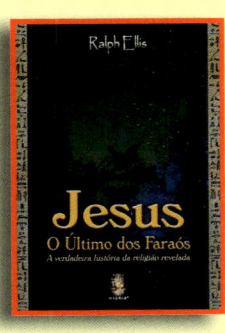

JESUS – O ÚLTIMO DOS FARAÓS

A verdadeira história da religião revelada

Ralph Ellis

Em *Jesus – O Último dos Faraós*, Ralph Ellis inicia seu trabalho por meio de uma aventura pela Terra Prometida em busca de informações capazes de corroborarem com suas novas pesquisas sobre os mistérios que a cercam.

ENIGMAS DO VATICANO
Alfredo Lissoni

"Quem quer que sejas, que escrevas aqui o teu nome por ter tomado emprestado os livros da biblioteca do Papa. Saibas que incorrerás em tua execração e na perda de tua dignidade se não os restituírem intactos." No século XV, estas palavras ameaçadoras eram destacadas nas prateleiras da Biblioteca Vaticana.

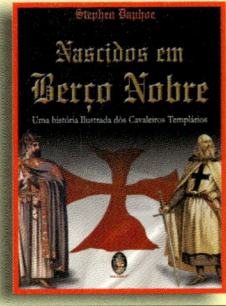

NASCIDOS EM BERÇO NOBRE

Uma História Ilustrada dos Cavaleiros Templários

Stephen Daphoe

A verdadeira história dos Cavaleiros Templários é tão fascinante quanto as teorias especulativas criadas para explicar o que eles fizeram durante seu reinado de 200 anos como os monges guerreiros mais famosos e infames da cristandade.

OS TEMPLÁRIOS

E o Pergaminho de Chinon Encontrado nos Arquivos Secretos do Vaticano

Barbara Frale

Ao trazer para o público um pouco da história dos Templários, Barbara Frale aborda o tema sob uma nova perspectiva.

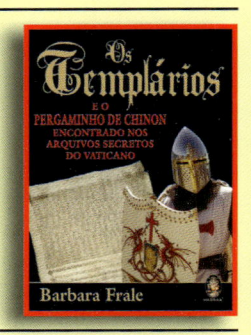

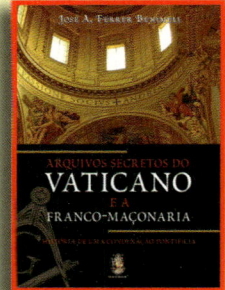

ARQUIVOS SECRETOS DO VATICANO E A FRANCO-MAÇONARIA

História de uma condenação pontifícia

José Antonio Ferrer-Benimeli

Os estatutos e os rituais da Franco-Maçonaria medieval — que se enraíza na tradição das corporações dos pedreiros, construtores de catedrais — atestam seu espírito cristão e a vontade de admitir em sua classe os respeitosos artesãos da moral e dos dogmas da Igreja Católica Romana.

OS TEMPLÁRIOS E A ARCA DA ALIANÇA

Graham Phillips

Se a Arca da Aliança existisse da maneira como é descrita na Bíblia, seria um dos artefatos mais extraordinários da História. Ela formaria tempestades, irradiaria o fogo divino, derrubaria as muralhas das cidades, destruiria carruagens e aniquilaria exércitos inteiros. Além disso, teria o poder de invocar anjos e até mesmo de manifestar a voz e a presença de Deus.

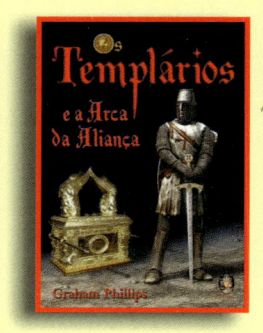

CADASTRO/MALA DIRETA

Envie este cadastro preenchido e passará a receber informações dos nossos lançamentos, nas áreas que determinar.

Nome_____

RG_____ CPF_____

Endereço Residencial _____

Bairro _____ Cidade_____ Estado_____

CEP _____ Fone_____

E-mail _____

Sexo ❑ Fem. ❑ Masc.   Nascimento_____

Profissão _____ Escolaridade (Nível/Curso) _____

Você compra livros:

❑ livrarias   ❑ feiras   ❑ telefone   ❑ Sedex livro (reembolso postal mais rápido)

❑ outros:_____

Quais os tipos de literatura que você lê:

❑ Jurídicos   ❑ Pedagogia   ❑ Business   ❑ Romances/espíritas

❑ Esoterismo   ❑ Psicologia   ❑ Saúde   ❑ Espíritas/doutrinas

❑ Bruxaria   ❑ Autoajuda   ❑ Maçonaria   ❑ Outros:

Qual a sua opinião a respeito desta obra?_____

_____

Indique amigos que gostariam de receber MALA DIRETA:

Nome_____

Endereço Residencial _____

Bairro _____ Cidade_____ CEP _____

Nome do livro adquirido: *Capela Sistina – A Guardiã dos Segrdos de Michelangelo*

Para receber catálogos, lista de preços e outras informações, escreva para:

MADRAS EDITORA LTDA.
Rua Paulo Gonçalves, 88 – Santana – 02403-020 – São Paulo/SP
Caixa Postal 12183 – CEP 02013-970 – SP
Tel.: (11) 2281-5555 – Fax.:(11) 2959-3090
www.madras.com.br

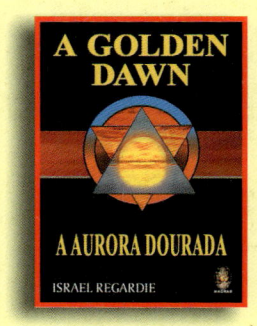
A GOLDEN DAWN
A AURORA DOURADA
ISRAEL REGARDIE

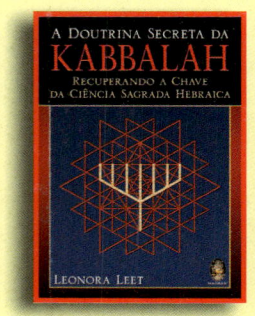
A Doutrina Secreta da
KABBALAH
RECUPERANDO A CHAVE
DA CIÊNCIA SAGRADA HEBRAICA
LEONORA LEET

QABALAH
O LEGADO MÍSTICO DOS
FILHOS DE ABRAÃO
Daniel Hale Feldman

O GRAAL SECRETO DOS MEROVÍNGIOS
A sobrevivência do Sangue Real
CARLOS CAGIGAL e ALFREDO ROS
Prefácio de Juan Antonio Cebrián

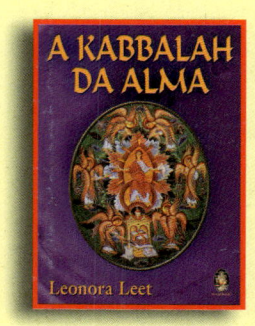
A KABBALAH DA ALMA
Leonora Leet

A KABBALAH REVELADA
FILOSOFIA OCULTA E CIÊNCIA
Knorr Von Rosenroth

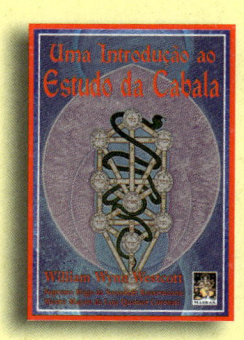
Uma Introdução ao Estudo da Cabala
William Wynn Westcott

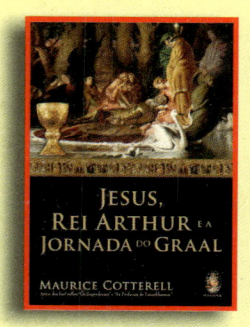
JESUS, REI ARTHUR E A JORNADA DO GRAAL
MAURICE COTTERELL

HISTÓRIA DOS CAVALEIROS TEMPLÁRIOS
E OS PRETENDENTES DE SUA SUCESSÃO SEGUIDA DA
HISTÓRIA DAS ORDENS DE CRISTO E DE MONTESA
ÉLIZE DE MONTAGNAC

Este livro foi composto em Times New Roman, corpo 11,8/13.
Papel Couche Magno Star 150 g
Impressão e Acabamento
Prol Gráfica e Editora — Av. Juruá, 820 – Barueri – SP – CEP.: 06455-903

Práticas pedagógicas reflexivas

em esporte educacional

INSTITUTO PHORTE EDUCAÇÃO
PHORTE EDITORA

Diretor-Presidente
Fabio Mazzonetto

Diretora-Executiva
Vânia M. V. Mazzonetto

Editor-Executivo
Tulio Loyelo